SIMPLEMENT CHOCOLAT

Du même auteur

Caprices de chocolat, Albin Michel, 1998.

Au cœur des saveurs, Montagud, 1998.

Fusion chocolat, Montagud, 2006.

Envies chocolat, Albin Michel, 2016.

En collaboration

Frédéric Bau *et al., Cuisine sucrée*,
Montagud, 2006.

École du grand chocolat Valrhona,
sous la direction de Frédéric Bau, *Encyclopédie du chocolat*,
Flammarion, 2010, 2015.

École du grand chocolat Valrhona,
sous la direction de Frédéric Bau,
L'Essentiel du chocolat, Flammarion, 2013.

Frédéric Bau

Chef pâtissier de la maison Valrhona

SIMPLEMENT CHOCOLAT

Mes recettes préférées

Photographies :
Guillaume Czerw

Stylisme :
Julie Schwob

■ **Albin Michel**

SOMMAIRE

AVANT DE
COMMENCER

AVANT-**PROPOS**

Après *Caprices de chocolat* et *Envies Chocolat*, voici *Simplement chocolat* ! Je vous livre dans cet ouvrage les recettes que je fais souvent chez moi, pour ma famille ou mes amis...

Il n'y a pas d'heure ni de moment pour se faire plaisir en toute simplicité et régaler tous ceux que l'on aime avec des recettes faciles mais néanmoins délicieuses à réaliser aisément dans le temps imparti. Avec José-Manuel Augusto, mon compagnon de route, nous avons tenté d'imaginer des recettes qui trouvent facilement leur place dans ce temps précieux.

Force est de constater qu'en une heure, voire moins, on peut créer de la gourmandise à l'état pur, sans artifice mais pleine d'émotion. Au contraire, quand pâtisser devient une envie personnelle, un challenge, on peut s'atteler à des recettes qui demandent plus de temps et de patience... Attention : le résultat peut aller bien au-delà de vos espérances et faire de vous la star d'un instant !

Nous vous proposerons des recettes concises, pleines de bons sens et de goût chocolat. Quel bonheur de vous présenter notre nouvelle gamme de chocolats à pâtisser Valrhona, heureux et émus que nous sommes, comme des enfants dans leur salle de jeu ! Je souhaite de tout cœur que ce bonheur soit partagé et, quel que soit le temps que vous y mettrez, le plaisir sera au rendez-vous, et vos hôtes attendront avec impatience vos prochaines gourmandises...

En guise de « mise en bouche », je vous offre ici les techniques et recettes essentielles qui accompagnent aussi des milliers de professionnels à travers le monde dans leurs travaux de création. C'est votre « caisse à outils » pour réussir toutes les recettes de ce livre de pâtisserie : petites techniques de travail, recettes de base, astuces de chef et conversions de poids de chocolat selon leur pourcentage de cacao.

Un peu d'attention et... c'est vous le chef !

LES PROFILS AROMATIQUES DES CHOCOLATS

Chez Valrhona, nous aimons jouer avec la diversité des profils aromatiques des chocolats pour sublimer les desserts. Je vous les partage. À vous de jouer !

Chocolat noir Guanaja 70 % : amer et élégant
Chocolat noir Caraïbe 66 % : équilibré et grillé
Chocolat noir Manjari 64 % : frais et acidulé
Chocolat noir Bio Oriado 60 % : doux et équilibré
Chocolat noir Équatoriale 55 % : rond et doux

Chocolat au lait Jivara 40 % : crémeux et cacaoté
Chocolat au lait Bio Andoa 39 % : lacté intense et cacaoté
Chocolat au lait Caramélia 36 % : caramel et notes de beurre salé
Chocolat au lait Équatoriale 35 % : rond et lacté
Chocolat au lait Azélia 35 % : noisette et chocolaté

Chocolat blanc Ivoire 35 % : onctueux et vanillé

Blond Dulcey 32 % : onctueux et biscuité

Inspiration Passion : notes de passion acidulée
Inspiration Fraise : notes de fraise confiturée

Pour savoir où vous procurer ces chocolats ainsi que les autres produits Valrhona utilisés dans ce livre, référez-vous à la p. 94.

LES **TECHNIQUES**

Ne faites pas l'impasse d'une lecture approfondie de ces conseils : ils vous serviront tout au long du livre.

FAIRE FONDRE LE CHOCOLAT

Par principe, tous les chocolats fondent seuls, grâce au beurre de cacao. Donc, c'est une grosse erreur que d'ajouter une ou deux cuillerées à soupe d'eau pour les faire fondre : ce sont au contraire des soucis en perspective !

Faire fondre les chocolats toujours doucement, car ils peuvent souffrir de trop de chaleur, voire brûler ! Privilégier le bain-marie, ou le four à micro-ondes en position décongélation ou à 500 watts maximum.

Dans certaines recettes, si nous précisons la température à atteindre, c'est que cette donnée est importante pour éviter la cristallisation d'un biscuit, par exemple. Dans d'autres au contraire, par exemple celles où on rajoute un liquide chaud, la température de fonte n'est pas essentielle et n'est donc pas précisée.

LE TEMPÉRAGE

Le tempérage permet au chocolat, après qu'on l'a fait fondre, de retrouver sa texture initiale, son craquant, son fondant et son brillant. Le tempérage concerne donc uniquement l'utilisation d'un chocolat pur (pour un décor, par exemple).

En effet, le beurre de cacao contenu dans le chocolat est une matière grasse fainéante et complexe ; sans aide, le beurre de cacao fondu ne peut retrouver seul une cristallisation parfaite ; il durcit de façon tout à fait désordonné jusqu'à blanchir, devenir cireux, désagréable à la vue... et même en bouche.

Les grandes lignes du tempérage

- Pour bien cristalliser le chocolat, il faut d'abord le « décristalliser », c'est-à-dire le faire fondre suffisamment longtemps (15 à 30 min) et à la bonne température. Pour les chocolats noirs, faire fondre à environ 55 °C, et pour les chocolats au lait, Dulcey ou blancs, à 48-50 °C maximum. Personnellement, j'utilise souvent mon four ventilé en position chaleur tournante et à 50 °C : cela fait une belle étuve et nul besoin alors de four à micro-ondes ! Le chocolat peut y rester 2, 3 ou 4 h. Plus c'est long, meilleur sera le résultat !

- Il faut ensuite baisser la température du chocolat fondu. Il existe trois façons de procéder :
1) Mettre le récipient dans un bain-marie d'eau froide.
2) Ajouter du chocolat (on appelle cela la « vaccination »).
3) Verser et étaler les trois quarts du chocolat sur un plan de travail en marbre.

 Quelle que soit la solution que vous choisirez, il vous faudra toujours soigneusement mélanger à l'aide d'une maryse, pour que le refroidissement se fasse de manière régulière, sans que le chocolat épaississe.

- Enfin, dès que la température a atteint les 28-29 °C pour les chocolats noirs, ou 26-27 °C pour les chocolats au lait, Dulcey ou blancs, il faut remonter rapidement la température pour éviter que le chocolat ne cristallise trop, et donc épaississe, au point qu'on ne puisse plus le travailler aisément. Il y a trois solutions :
1) Passer le récipient quelques secondes au bain-marie chaud.
2) Placer quelques instants votre chocolat fondu au four à micro-ondes.

3) Ramasser le chocolat refroidi sur le marbre dans un cul-de-poule, ajouter aussitôt le quart de chocolat chaud restant et mélanger pour remonter la température.

Le chocolat doit atteindre alors :
- 31-32 °C pour les chocolats noirs ;
- 28-29 °C pour les chocolats au lait, Dulcey ou blancs.

Le chocolat doit être fluide, sans morceaux. N'hésitez pas à vérifier les températures avec un thermomètre digital. Pour travailler confortablement le chocolat, maintenir la température de travail par de petits ajouts de chocolat fondu chaud, c'est très facile !

Important : passez vos préparations quelques minutes seulement au réfrigérateur, afin d'accélérer la « prise », donc la cristallisation du chocolat.

Une fois votre recette terminée, verser le reste du chocolat dans une boîte hermétique et laisser cristalliser. Il est prêt pour un prochain tempérage !

LA MAÎTRISE DE L'ÉMULSION

Émulsionner, c'est assembler et stabiliser deux corps qui ne sont pas miscibles, comme de l'eau et de l'huile (la matière grasse à l'état liquide, le beurre de cacao pour le chocolat et l'huile des fruits secs pour les pralinés). Plus la friction (le frottement) de l'eau et des matières grasses est grande, plus l'émulsion sera fine et meilleures seront la texture et la conservation (et la sensation de fraîcheur en bouche).

Matériel indispensable : le mixeur plongeant.

- Utiliser du chocolat en pastilles ou le hacher.
- Faire chauffer ou bouillir le liquide de la recette.
- Verser environ un quart du liquide chaud sur le chocolat. Laisser reposer 2 min.
- Commencer à mélanger à la maryse : on observe un épaississement rapide de la masse, suivi souvent d'une séparation. Dans un premier temps, mélanger fortement pour favoriser cette séparation.

- Ajouter ensuite le deuxième quart du liquide chaud. Mélanger énergiquement pour commencer à créer un noyau élastique et brillant, signe que l'émulsion a bien démarré, comme pour réaliser une mayonnaise (l'équilibre eau/huile est proche).

- Ajouter le troisième quart de liquide chaud et continuer à mélanger énergiquement. À ce stade, on peut utiliser le mixeur plongeant pour parfaire l'émulsion. Attention : vérifier que la température est au minimum à 35-40 °C, car en dessous de 35 °C le beurre de cacao peut commencer à durcir.

- Verser enfin le reste de liquide chaud et mixer quelques secondes jusqu'à obtenir une texture, lisse, soyeuse et ultra-crémeuse. Mission accomplie !

- Laisser reposer au réfrigérateur 3 à 5 h ou, mieux, une nuit, afin que le beurre de cacao recristallise de façon harmonieuse et offre une texture délicieuse.

Désormais, vous savez tout, ou presque, pour réussir vos ganaches, vos super mousses au chocolat, vos sauces, vos parfaits... tout ce qui fera de vous un(e) expert(e) !

À SAVOIR

S'ORGANISER

Un dessert pâtissier digne de ce nom est souvent composé de plusieurs préparations. Même si on a la journée devant soi, il est parfois avantageux de disposer des préparations au congélateur ou au réfrigérateur, prêtes à l'emploi, pour gagner du temps. C'est ce qu'on appelle la mise en place. Il est d'ailleurs facile de multiplier les proportions d'une recette pour pouvoir en congeler une partie dans ce but.

Certaines préparations sont des bases (comme une pâte ou un biscuit). D'autres peuvent être utilisées telles quelles si des amis s'invitent à l'improviste.

S'ÉQUIPER COMME UN PRO

Dans ce livre, nous vous précisons à chaque fois le matériel spécifique nécessaire à la réalisation des recettes. Nous ne spécifions pas le matériel de base dont toute personne qui aime pâtisser doit être équipée : un robot de qualité (équipé d'un fouet et, idéalement, d'une feuille), un mixeur plongeant (indispensable pour parfaire les émulsions), un chinois (passoire à maille fine), un thermomètre de cuisson, une maryse (spatule en silicone), un pinceau alimentaire, des poches à pâtisserie et quelques douilles, etc.

AU BEC D'OISEAU. Se dit d'une préparation montée (chantilly, blancs en neige…) qui forme une pointe au moment où l'on relève les fouets. Sa consistance est ferme mais souple.

FONCER. C'est recouvrir un moule de pâte (le fond et les bords).

GÉLATINE. Dans nos recettes nous vous proposons d'utiliser au choix de la gélatine en poudre ou en feuilles. Si vous optez pour les feuilles, il vous faut les faire tremper dans l'eau froide pendant une dizaine de minutes, puis les égoutter soigneusement avant de les incorporer à votre préparation chaude.
Si vous préférez la gélatine en poudre, réhydratez-la dans 5 fois son poids en eau et laissez gonfler 5 à 10 minutes. Pour ma part, je privilégie en général la gélatine en poudre : son utilisation est plus rapide et plus précise.

MONTER. Fouetter une préparation (dans un robot pâtissier, à l'aide d'un batteur électrique ou d'un fouet manuel) pour lui donner du volume en incorporant de l'air dans la masse (comme pour la crème chantilly). Ne jamais monter de trop petites quantités.

LES RECETTES DE BASE

Pour la réalisation de ces recettes, nous vous proposons parfois de choisir entre différents chocolats Valrhona (voir Les profils aromatiques des chocolats, p. 8) et vous donnons alors un tableau d'équivalences en grammage selon le pourcentage de cacao, pour laisser libre cours à votre créativité ou selon votre goût.

LES BISCUITS

En fonction de l'utilisation qui en sera faite, ces biscuits peuvent être cuits sur une plaque, en cercle ou en moule. Le temps et la température de cuisson peuvent donc varier. Référez-vous à votre recette.

BISCUIT EMMANUEL

- 50 g de miel d'acacia
- 20 g de lait entier
- 80 g de beurre
- 100 g d'œufs entiers (2 œufs)
- 50 g de sucre glace
- 100 g de farine T55
- 4 g de levure chimique
- 1 pincée de sel

Dans une casserole faire fondre le beurre à 45-48 °C et maintenir la température.

Pendant ce temps, tamiser ensemble la farine, le sucre glace, le sel et la levure chimique.

Dans le bol d'un robot, mélanger à la feuille (ou à défaut dans un cul-de-poule au fouet) les œufs avec le miel, puis ajouter les poudres tamisées, le lait et le beurre fondu à 45-48 °C. Réserver au réfrigérateur au moins 12 h.

Préchauffer le four à 180 °C (th. 6).

Verser la pâte sur une plaque recouverte de papier de cuisson, puis étaler uniformément sur une épaisseur d'environ 1 cm. Enfourner pour 8 à 10 min jusqu'à ce que le biscuit obtienne une jolie couleur dorée.

Prêt d'avance : une fois cuit, ce biscuit peut se conserver au congélateur, sous sachet hermétique.

Pour : Petites marquises norvégiennes (p. 78) ; à noter : la recette proposée dans L'Empereur (p. 85) est une variante.

BISCUIT MOELLEUX AU CHOCOLAT

- 100 g de chocolat noir
  Manjari 64 % ou Caraïbe 66 %
- 70 g de crème liquide à 35 % de MG
- 125 g de blancs d'œufs (4 blancs)
- 50 g de jaunes d'œufs (2 jaunes)
- 50 g de sucre en poudre
- 10 g de Poudre de cacao Valrhona
- Un peu de beurre pour le moule

Préchauffer le four à 180-190 °C (th. 6-7).

Dans un saladier, faire fondre le chocolat jusqu'à ce qu'il atteigne 45-50 °C (voir p. 9), ajouter la crème liquide et les jaunes d'œufs, et enfin le cacao en poudre. Fouetter vigoureusement à la maryse pour obtenir une texture lisse et élastique. Monter les blancs en neige au bec d'oiseau (voir p. 11) avec le sucre et incorporer en deux ou trois fois au mélange chocolat.

Recouvrir une plaque de papier de cuisson. Verser la préparation dans un cercle en inox beurré (Ø 18-20 cm) posé sur la plaque, ou directement sur le papier de cuisson (selon les indications de votre recette). Enfourner pour 12-14 min. Décercler à chaud et laisser refroidir.

Pour : Onde de choc, p. 70 ; Le Cercle noir, p.80.

BISCUIT À LA CUILLER

- 180 g de blancs d'œufs (6 blancs)
- 100 g de jaunes d'œufs (5 jaunes)
- 100 g de sucre en poudre
- 65 g de farine T45
- 60 g de Maïzena
- Un peu de sucre glace

Préchauffer le four à 200 °C (th. 6-7).

Monter les blancs en neige en ajoutant progressivement le sucre. Tamiser la farine et la Maïzena. Incorporer à la maryse les jaunes d'œufs dans les blancs en neige, puis ajouter les poudres.

Sur une plaque recouverte de papier de cuisson, dresser à la poche à douille en fonction de la recette (biscuits individuels, fond d'entremets, bande de biscuit destinée à cercler un entremets...). Saupoudrer de sucre glace deux fois à 5 min d'intervalle. Enfourner pour 10-12 min.

Prêt d'avance : ce biscuit une fois cuit peut se conserver au congélateur, sous sachet hermétique.

LES PÂTES

PÂTE SABLÉE AUX AMANDES

- 45 g de poudre d'amande
- 355 g (265 g + 90 g) de farine T45
- 180 g de beurre ramolli
- 75 g d'œufs entiers (2 œufs)
- 135 g de sucre glace
- 3 pincées de sel

Dans un premier temps, mélanger le beurre ramolli, le sel, le sucre glace, la poudre d'amande, les œufs et 90 g de farine (attention à ne pas monter ce mélange). Dès que le mélange est homogène, incorporer rapidement 265 g de farine. Réserver au réfrigérateur pendant 2 h avant d'étaler.

Étaler la pâte selon les indications de votre recette. Cuire au four à 150-160 °C (th. 5-6) jusqu'à obtenir une couleur ambrée.

Pour : On dirait le Sud, p. 64 ; Religieuse Antonine, p. 91.

Prêt d'avance : cette pâte sablée se conserve très bien au congélateur.

PÂTE SUCRÉE AU CACAO

- 30 g de Poudre de cacao Valrhona
- 120 g de beurre froid
- 50 g d'œuf entier (1 œuf) froid
- 90 g de sucre glace
- 200 g de farine T55
- 60 g de poudre d'amande
- 2 pincées de sel

Dans un saladier, réunir le sucre, la farine, le cacao, la poudre d'amande et le sel. Sabler le beurre froid coupé en dés avec ce mélange et pétrir du bout des doigts. Lorsqu'il n'y a plus de morceaux et que le sablé est parfait, ajouter l'œuf froid et pétrir (le moins possible pour ne pas donner de corps à la pâte). Recouvrir la pâte de film alimentaire, l'écraser de la paume de la main, sur environ 1 cm d'épaisseur, et mettre au congélateur 30-45 min.

Étaler au rouleau entre deux feuilles de papier de cuisson, sur environ 3 mm d'épaisseur. Remettre au congélateur pendant 15 min.

Préchauffer le four à 150 °C (th. 5). Foncer le moule (ou les moules, pour des tartelettes), bien piquer le fond de tarte et enfourner pour 30-35 min.

Pour : Onde de choc, p. 70.

Prêt d'avance : cette pâte sucrée peut se conserver au congélateur.

PÂTE À CHOUX

- 150 g de farine T55
- 125 g de lait entier
- 125 g d'eau
- 250 g d'œufs entiers (5 œufs)
  + 1 œuf pour la dorure
- 4 g de sucre en poudre
- 100 g de beurre
- 4 pincées de sel

Rassembler l'eau, le lait, le beurre, le sucre et le sel dans une casserole et porter à ébullition. Hors du feu, ajouter la farine, puis remettre sur feu doux et dessécher la pâte en remuant à l'aide d'une maryse : la pâte doit se détacher des parois.

Mettre la pâte dans le bol d'un robot muni de la feuille et ajouter progressivement les œufs (à défaut de batteur, mélanger dans un cul-de-poule à la maryse).

Préchauffer le four à 180 °C (th. 6).

Garnir la poche à douille lisse de pâte à choux. Dresser pour former des éclairs ou des choux, selon votre recette. Dorer au pinceau avec l'œuf battu. Enfourner pour environ 15 min, puis abaisser la température du four à 160 °C (th. 5-6) et poursuivre la cuisson pendant 10-15 min pour bien sécher les choux.

Pour : Religieuse Antonine, p. 91 ; Religieuses chocolat-framboise, p. 60, De Paris... à Brest, p. 56.

Prêt d'avance : les choux peuvent être congelés crus. Laissez-les décongeler tranquillement sur la plaque avant d'enfourner. Plus leur séjour au congélateur sera prolongé, moins ils gonfleront à la cuisson.

LES CRÈMES DE BASE

CRÈME ANGLAISE

- 125 g de crème liquide à 35 % de MG
- 125 g de lait entier
- 45 g de jaunes d'œufs (2 jaunes)
- 25 g de sucre en poudre

Mélanger à la maryse les jaunes d'œufs et le sucre dans un saladier (sans blanchir).

Rassembler la crème liquide et le lait dans une casserole et porter à ébullition. Incorporer le mélange œufs-sucre et faire cuire à 82-84 °C sans cesser de remuer avec la maryse, jusqu'à ce que la crème épaississe et nappe la spatule.

Passer au chinois et filmer au contact. Réserver.

Entre nous : attention, lors de la cuisson d'une crème, une évaporation se fait et on perd environ 10 % du poids ! Alors tenez-en compte dans vos calculs.

Pour : Riz au lait du chocolatier, p. 58 ; Religieuses chocolat-framboise, p. 60.

GANACHE NOIRE À DRESSER

- 225 g de chocolat noir Équatoriale 55 %
- 180 g de crème liquide à 35 % de MG
- 30 g de miel toutes fleurs

Faire bouillir la crème liquide avec le miel dans une casserole.

Faire fondre le chocolat (voir p. 9). Ajouter progressivement la crème chaude sur le chocolat fondu, en remuant énergiquement pour obtenir une texture élastique et brillante (voir p. 10). Mixer quelques secondes pour parfaire l'émulsion.

Verser dans un plat, couvrir de film alimentaire et réserver à température ambiante pendant 3 à 6 h. (Cette ganache ne se congèle pas.)

Pour : Religieuse Antonine, p. 91.

LES TEXTURES MOUSSEUSES

MOUSSE AU CHOCOLAT

- Chocolat noir (voir grammage dans le tableau ci-dessous)
- 50 g de Perles ou pépites de chocolat noir Valrhona
- 150 g de lait entier
- 60 g de jaunes d'œufs (3 jaunes)
- 200 g de blancs d'œufs (7 blancs)
- 50 g de sucre en poudre

Guanaja 70 %	Caraïbe 66 %	Manjari 64 %	Oriado Bio 60 %	Équatoriale Noir 55 %
270 g	280 g	300 g	310 g	320 g

Mettre le chocolat dans un cul-de-poule. Par ailleurs, dans une casserole, faire bouillir le lait, puis le verser sur le chocolat noir en trois ou quatre fois tout en mélangeant afin de créer un noyau élastique, lisse et brillant (voir p. 10). Mixer quelques instants pour parfaire l'émulsion. Ajouter les jaunes d'œufs et mixer quelques secondes.

Monter les blancs d'œufs en neige au bec d'oiseau (voir p. 11), en ajoutant progressivement le sucre.

Vérifier que le premier mélange est à 38-40 °C, incorporer un quart des blancs montés, puis le reste. Ajouter les perles de chocolat et mélanger.

Verser sans tarder dans des verrines (ou un saladier). Réserver au réfrigérateur pendant 6-8 h.

Pour : Mousse au chocolat façon Mamie Paulette, p. 46.

ÉCUME DE CHOCOLAT

- Chocolat noir (voir grammage dans le tableau ci-dessous)
- 270 g de lait entier
- 2 g d'agar-agar

Guanaja 70 %	Caraïbe 66 %	Manjari 64 %	Oriado Bio 60 %	Équatoriale Noir 55 %
150 g	155 g	160 g	170 g	185 g

Dans une casserole sur feu doux, mélanger l'agar-agar avec le lait froid et donner un bon bouillon.

Verser le liquide chaud sur le chocolat dans un saladier, en trois ou quatre fois, et mixer quelques secondes jusqu'à obtenir une texture très élastique et brillante.

Verser l'émulsion encore chaude dans un siphon à chantilly et mettre deux cartouches de gaz. Bien secouer et garnir aussitôt des coupes ou un cercle en inox, si vous choisissez de dresser sur assiette.

Pour : Mousseux ni chaud ni froid, p. 32.

FONDUE AU CHOCOLAT

- Chocolat noir (voir grammage dans le tableau ci-dessous)
- 150 g de lait entier
- 150 g de crème liquide à 35 % de MG
- 18 g de Sauceline Maïzena

Guanaja 70 %	Caraïbe 66 %	Manjari 64 %	Oriado Bio 60 %	Équatoriale Noir 55 %
150 g	155 g	160 g	170 g	175 g

Rassembler dans une casserole le lait, la crème liquide et la Sauceline Maïzena, et remuer au fouet pour bien délayer le mélange. Chauffer à feu doux et porter à ébullition.

Verser en trois ou quatre fois sur le chocolat dans un cul-de-poule, tout en mélangeant jusqu'à obtenir une texture élastique et brillante.

Pour : Tous fondus de chocolat !, p. 36.

PÂTE À MOELLEUX CHOCOLAT

- Chocolat noir (voir grammage dans le tableau ci-dessous)
- 190 g de blancs d'œufs (6-7 blancs)
- 40 g de jaunes d'œufs (2 jaunes)
- 50 g de sucre en poudre
- 35 g de beurre
- 30 g de farine T55

Guanaja 70 %	Caraïbe 66 %	Manjari 64 %	Oriado Bio 60 %	Équatoriale Noir 55 %
200 g	210 g	212 g	218 g	225 g

Préchauffer le four à 180-190 °C (th. 6-7).

Faire fondre le chocolat jusqu'à ce qu'il atteigne 50-55 °C (voir p. 9) et ajouter le beurre.

Monter les blancs d'œufs en neige au bec d'oiseau (voir p. 11), en ajoutant progressivement le sucre.

Incorporer les jaunes d'œufs au chocolat fondu. Ajouter 1/3 des blancs en neige, puis incorporer la farine et enfin le reste des blancs (ce mélange doit être bien léger et homogène).

Couler la pâte dans des cercles chemisés de papier de cuisson. Enfourner pour 8 à 11 min jusqu'à ce que le dessus commence à lever, voire à se craqueler légèrement.

Pour : Saotoubo, p. 62.

Prêt d'avance : avant cuisson, cette pâte peut se conserver au congélateur directement dans les cercles.

PARFAIT GLACÉ

- Chocolat noir (voir grammage dans le tableau ci-dessous)
- 200 g de crème liquide à 35 % de MG
- 125 g de blancs d'œufs (4 blancs)
- 100 g de sucre en poudre

Guanaja 70 %	Caraïbe 66 %	Manjari 64 %	Oriado Bio 60 %	Équatoriale Noir 55 %
150 g	160 g	165 g	170 g	185 g

Dans un saladier, fouetter la crème liquide bien froide pour obtenir une texture souple et légère. Réserver au réfrigérateur.

Faire fondre le chocolat au bain-marie ou au four à micro-ondes à 45-50 °C (voir p. 9). Réserver au chaud.

Rassembler le sucre et les blancs dans une casserole et chauffer au bain-marie tout en fouettant. Dès que ça brûle légèrement le doigt quand on le trempe (55-60 °C), monter au batteur jusqu'à quasi-refroidissement. Ajouter délicatement à cette meringue le chocolat fondu et, dès que le mélange est homogène, la crème liquide montée.

Verser la préparation dans un moule (ou autre selon la recette). Mettre au congélateur 6 à 8 h (idéalement une nuit).

Pour : Petites marquises norvégiennes, p. 78.

GANACHE MONTÉE

- Chocolat (voir grammage dans les tableaux ci-dessous)
- 120 g de lait entier
- 25 g de sirop de glucose
- 240 g de crème liquide bien froide à 35 % de MG + 50 g (soit 290 g en tout) pour les chocolats au lait, Dulcey ou blancs uniquement

Guanaja 70 %	Caraïbe 66 %	Manjari 64 %	Oriado Bio 60 %	Équatoriale Noir 55 %
90 g	95 g	100 g	110 g	105 g

Jivara 40 %	Andoa Lait Bio 39 %	Azélia 35 %	Caramélia 36 %	Équatoriale Lait 35 %	Dulcey 32 %	Ivoire 35 %
150 g	160 g	175 g	165 g	175 g	165 g	150 g

Rassembler le lait et le sirop de glucose dans une casserole et porter à ébullition.

Verser lentement un peu du mélange bouillant sur le chocolat, en mélangeant au centre pour créer un noyau lisse, élastique et brillant (cette texture devra être conservée jusqu'à la fin). Continuer en ajoutant le liquide peu à peu. Mixer en fin de mélange. Ajouter enfin la crème bien froide, mixer à nouveau quelques secondes et réserver au réfrigérateur pendant au moins 3 h.

Monter le mélange au batteur à vitesse très modérée, pour obtenir une texture fine, brillante, onctueuse et très crémeuse (comme une glace à l'italienne), que l'on peut aisément dresser à la poche.

LES TEXTURES CRÉMEUSES

CRÉMEUX CHOCOLAT-FRAMBOISE

- Chocolat noir (voir grammage dans le tableau ci-dessous)
- 320 g de crème anglaise (p. 14)
- 250 g de pulpe de framboise

Guanaja 70 %	Caraïbe 66 %	Manjari 64 %	Oriado Bio 60 %	Équatoriale Noir 55 %
180 g	190 g	200 g	230 g	250 g

Faire fondre le chocolat jusqu'à ce qu'il atteigne environ 40 °C (voir p. 9).

Verser progressivement la crème anglaise sur le chocolat fondu tout en mélangeant afin de créer un noyau élastique, lisse et brillant (voir p. 10). Mixer dès que possible pour parfaire l'émulsion en prenant soin de travailler à une température supérieure à 35 °C. Ajouter la pulpe de framboise et mixer à nouveau. Réserver au réfrigérateur au moins 4-6 h.

Pour : Religieuses chocolat-framboise, p. 60.

GELÉE CRÉMEUSE DE CHOCOLAT

- Chocolat noir (voir grammage dans le tableau ci-dessous)
- 200 g de lait entier
- 100 g de crème liquide à 35 % de MG
- 40 g de sucre en poudre
- 3 g de pectine X58

Guanaja 70 %	Caraïbe 66 %	Manjari 64 %	Oriado Bio 60 %	Équatoriale Noir 55 %
80 g	90 g	105 g	115 g	125 g

Mélanger le sucre et la pectine X58 dans un bol.

Tiédir le lait et la crème dans une casserole, et incorporer à l'aide d'un fouet le mélange sucre-pectine. Faire bouillir tout en remuant. Verser progressivement une partie du lait chaud sur le chocolat tout en mélangeant à l'aide de la maryse afin de créer un noyau élastique, lisse et brillant (voir p 10). Continuer à verser le liquide en veillant à conserver cette émulsion jusqu'à la fin. Laisser refroidir (30 °C) et verser sans tarder sur un fond de tarte ou dans des coupelles.

Pour : une crème dessert, une tarte… agrémentée éventuellement de framboises ou d'autres fruits de votre choix.

CRÉMEUX CHOCOLAT

- Chocolat (voir grammage dans les tableaux ci-dessous)
- 250 g de crème anglaise (p. 14)

Guanaja 70 %	Caraïbe 66 %	Manjari 64 %	Oriado Bio 60 %	Équatoriale Noir 55 %
95 g	100 g	105 g	110 g	115 g

EN PLUS, POUR LES CHOCOLATS DU TABLEAU CI-DESSOUS UNIQUEMENT
- 2 g de gélatine en poudre (ou 1 feuille)

Jivara 40 %	Andoa Lait Bio 39 %	Azélia 35 %	Cara-mélia 36 %	Équa-toriale Lait 35 %	Dulcey 32 %	Ivoire 35 %
125 g	125 g	150 g	160 g	135 g	190 g	140 g

Faire fondre le chocolat jusqu'à ce qu'il atteigne environ 40 °C (voir p. 9).

Lorsque la crème anglaise est chaude, passer au chinois et ajouter la gélatine réhydratée si indiqué ci-dessus. Verser progressivement sur le chocolat fondu tout en mélangeant afin de créer un noyau élastique, lisse et brillant (voir p. 10). Mixer dès que possible pour parfaire l'émulsion en prenant soin de travailler à une température supérieure à 35 °C. Couler dans un contenant selon l'utilisation prévue. Filmer au contact. Réserver au réfrigérateur au moins 12 h.

Pour : Riz au lait du chocolatier, p. 58 ; des petits pots de crème individuels, des quenelles ; dresser à la poche à douille…

LE GLAÇAGE

GLAÇAGE CHOCOLAT

- Chocolat (voir grammage dans le tableau ci-dessous)
- 5 g de Poudre de cacao Valrhona
- 110 g de lait concentré non sucré
- 80 g de crème liquide à 35 % de MG
- 40 g de sucre en poudre
- 2 g de pectine jaune
- 5 g de sirop de glucose (ou de miel)
- 35 g d'eau
- 2 g de gélatine en poudre (ou 1 feuille) si précisé (voir tableau)

Caraïbe 66 %	Jivara 40 %	Opalys 33 %	Dulcey 32 %
150 g	170 g	190 g	190 g
Gélatine			
–	–	oui	oui
Température d'utilisation			
36-38 °C	33-35 °C	24-25 °C	24-25 °C

Rassembler dans une casserole la crème, le lait concentré, l'eau, le sucre, la pectine, le cacao en poudre, le sirop de glucose (ainsi que la gélatine réhydratée le cas échéant, voir p. 11), et porter à ébullition.

Mettre le chocolat dans un saladier. Verser progressivement le mélange chaud sur le chocolat tout en mélangeant afin de créer un noyau élastique, lisse et brillant. Mixer dès que possible pour parfaire l'émulsion. Réserver au réfrigérateur ou utiliser sans tarder à la température précisément indiquée.

Pour : Le Cercle noir, p. 80.

LES DÉCORS

ÉCLATS OU PALETS DE CHOCOLAT

- **200 g de chocolat noir, au lait ou blanc**

Tempérer le chocolat (voir p. 9) et étalez-le en fine couche sur une feuille de papier de cuisson (ou, mieux, des feuilles guitare) pour obtenir une feuille de chocolat, ou dresser des points de grosseurs différentes pour réaliser des palets.

Recouvrir d'une seconde feuille de papier de cuisson (ou, mieux, du papier guitare) et écraser délicatement et régulièrement. Laisser durcir entre deux plaques environ 10 min au réfrigérateur puis 2 h à température ambiante avant d'utiliser selon les indications de la recette.

À noter : il est difficile de tempérer une petite quantité de chocolat, c'est pourquoi nous indiquons d'en tempérer 200 g, mais vous n'aurez sans doute pas besoin de la totalité pour le décor de votre recette.

Pour : Verrines vanille-fraise, p. 68 ; Le Cercle noir, p. 80 ; Onde de choc, p. 70 ; Bûche roulée aux éclats noirs, p. 88.

ILLICO
PRESTO

CROUSTY DÉLICE

POUR 24 PIÈCES • PRÉPARATION : 15 MIN • REPOS AU FRAIS : 10 MIN

Ce palet croustillant aux canneberges et aux raisins secs est plein d'énergie et ultra-gourmand. Il est facile à transporter pour le goûter ou la pause sportive des grands et des petits. Coup de fouet assuré !

- 250 g de chocolat au lait Azélia 35 %
- 80 g de crêpes dentelle
- 100 g de canneberges séchées
- 80 g de raisins secs blonds

MATÉRIEL
- Empreintes en silicone (facultatif)

EFFET GOURMAND
Variez les fruits secs selon votre envie ou remplacez la crêpe dentelle par du sablé breton écrasé : c'est délicieux !

Écraser délicatement les crêpes dentelle pour obtenir des brisures. Réserver.

Faire fondre 150 g de chocolat jusqu'à ce qu'il atteigne 45-48 °C (voir p. 9).

Ajouter 100 g de chocolat et mélanger doucement à la maryse jusqu'à ce que le mélange soit homogène (sans grumeaux).

Incorporer les canneberges, les raisins et les brisures de crêpes dentelle.

Mouler la préparation dans des empreintes en silicone (ne pas trop presser pour éviter une texture trop dense et cassante) ou former des petits tas (Ø 4-5 cm) à l'aide d'une cuillère à soupe.

Réserver 10 min au réfrigérateur avant de servir.

SOUFFLÉ
N'EST PAS JOUÉ !

POUR 8 À 10 PERSONNES • PRÉPARATION : 25 MIN • CUISSON : 8-12 MIN

**Un soufflé digne de figurer au menu des plus grands restaurants !
C'est chaud que le Guanaja révèle toute sa puissance aromatique,
rare dans un dessert. Pour les fans absolus de chocolat noir !**

- 225 g de chocolat noir Guanaja 70 %
- 225 g de lait entier
- 150 g de blancs d'œufs (5 blancs)
- 45 g de jaunes d'œufs (3 jaunes)
- 60 g de sucre en poudre
- 15 g de Maïzena
- Beurre et sucre pour les ramequins

MATÉRIEL
- Poche à douille lisse (n° 10) ou
  poche jetable coupée en biseau

Faire fondre le chocolat (voir p. 9).

Dans une casserole, verser le lait, délayer la Maïzena, ajouter une cuillerée de sucre, puis porter le tout à ébullition sans cesser de remuer énergiquement. Verser sur le chocolat fondu et lisser au fouet. Réserver.

Préchauffer le four à 190 °C (th. 6-7).

Monter les blancs d'œufs en neige au bec d'oiseau (voir p. 11), en incorporant progressivement le reste du sucre. Ajouter environ un tiers des blancs en neige dans la préparation au chocolat, puis incorporer les jaunes d'œufs. Lisser et terminer délicatement le mélange à la maryse avec le reste des blancs.

Beurrer et sucrer des ramequins individuels. Les garnir à la poche à douille (ou très délicatement à l'aide d'une maryse pour ne pas écraser la texture mousseuse) et lisser à ras bord.

Cuire au four pendant 8 à 12 min, selon la taille des ramequins. Le soufflé est cuit lorsqu'il est bien monté et qu'il est encore coulant à cœur.

ENTRE NOUS
La cuillerée de sucre ajoutée dans la casserole quand on fait chauffer le lait permet à la caséine de ne pas attacher.

EFFET GOURMAND
Vous pouvez réaliser ce soufflé avec un autre chocolat.

Guanaja 70 %	Caraïbe 66 %	Manjari 64 %	Oriado Bio 60 %	Équatoriale Noir 55 %
225 g	240 g	250 g	265 g	280 g

CRÈME ILLICO

POUR 5 OU 6 PERSONNES • PRÉPARATION : 20 MIN • CUISSON : 25 MIN • REPOS AU FRAIS : 2-3 H

Je ne crois pas que plus simple soit possible et pourtant on se régale de ce dessert inspiré de la crème catalane ! Idéal quand des amis s'invitent à l'improviste : en deux temps, trois mouvements, le tour est joué. Et c'est bluffant...

POUR LA CRÈME

- 175 g de chocolat au lait Bio Andoa 39 %
- 200 g de lait entier
- 50 g de crème liquide à 35 % de MG
- 10 g de sucre en poudre
- 15 g de Maïzena

POUR LE MUESLI AU MIEL

- 120 g de muesli 5 céréales
- 60 g de miel

CRÈME. Dans une casserole, sur feu doux, mélanger le lait, la crème liquide, le sucre et la Maïzena. Bien fouetter pour délayer la Maïzena. Faire bouillir quelques instants.

Mettre le chocolat dans un saladier. Ajouter la préparation à la crème liquide en trois ou quatre fois et mixer quelques secondes jusqu'à ce que l'émulsion soit parfaitement lisse et brillante (voir p. 10).

Répartir aussitôt la crème dans des ramequins. Laisser reposer au réfrigérateur pendant 2-3 h.

MUESLI AU MIEL. Préchauffer le four à 150 °C (th. 5).

Mélanger le miel au muesli jusqu'à enduire parfaitement le tout.

À l'aide d'une cuillère à café, former des petites pépites espacées de 2-3 cm sur une plaque recouverte de papier de cuisson et enfourner pour 20-25 min (le muesli doit être bien doré).

Réserver au sec.

FINITION. Au moment de servir, sortir les crèmes du réfrigérateur et parsemer de quelques pépites de muesli au miel.

EFFET GOURMAND
En saison, vous pouvez ajouter quelques dés de fruits frais : ils apporteront encore plus de saveur et de fraîcheur à ce dessert.

SABLÉS CROQUANTS
KASHA

POUR 25 SABLÉS • PRÉPARATION : 15 MIN • CUISSON : 40 MIN • REPOS AU FRAIS : 30-45 MIN

Sarrasin et chocolat, un mariage plutôt audacieux, mais un plaisir intense pour les papilles.
À savourer les yeux fermés, à tout moment de la journée...

- 200 g de beurre ramolli
- 80 g de sucre en poudre
- 130 g de farine T55
- 130 g de farine de blé noir
- 55 g de lait entier
- 70 g de Perles ou pépites de chocolat noir et/ou au lait Valrhona
- 35 g de kasha (sarrasin torréfié)
- 100 g de cassonade

Préchauffer le four à 140-150 °C (th. 4-5).

Dans un saladier, mélanger le beurre ramolli avec le sucre et les farines tamisées. Verser le lait et mélanger brièvement (la pâte ne doit pas être trop élastique).

Ajouter les perles de chocolat et le kasha. Mélanger.

Sur un film alimentaire, rouler la pâte pour en faire un joli boudin de 4 à 5 cm de diamètre. Réserver au réfrigérateur pendant 30 à 45 min.

Retirer le film et rouler le boudin dans la cassonade, puis découper des tranches d'environ 1 cm d'épaisseur. Les poser sur une plaque recouverte de papier de cuisson et enfourner pour 40 min.

Une fois refroidis, les sablés se conservent dans une boîte hermétique.

PRÊT D'AVANCE
Si vous adorez ces sablés, doublez ou triplez la recette, faites-en trois ou quatre boudins et conservez-les au congélateur. Vous aurez toujours de quoi régaler ceux que vous aimez !

EFFET GOURMAND
Remplacez la moitié du beurre par du beurre salé : ça fleure bon la Bretagne...

COMME
DES MENDIANTS

POUR 50 À 60 MENDIANTS • PRÉPARATION : 15 MIN • TEMPÉRAGE : 15-20 MIN • REPOS À TEMPÉRATURE : 15 MIN

Un, deux, trois chocolats… C'est parti pour donner libre cours
à vos envies et à votre créativité ! Cette généreuse petite barre, riche en fruits secs,
est simplissime à réaliser. L'occasion ou jamais de pâtisser en famille…

- 300 g de chocolat de votre choix
- 200 g d'un mélange de fruits secs
  au choix (figues, canneberges,
  myrtilles, baies de goji, mangues,
  abricots, etc.) et/ou de fruits
  à coques (amandes ou noisettes
  grillées, noix de pécan,
  noix de Grenoble, noix de cajou,
  noix de macadamia, pistaches, etc.)

MATÉRIEL
- Poche à douille jetable coupée
  droit (Ø 5 mm)

Découper tous les fruits secs en petits morceaux.

Faire fondre le chocolat jusqu'à ce qu'il atteigne 50 °C, puis procéder au tempérage (voir p. 9).

Verser le chocolat dans la poche à douille, puis dresser des petits bâtons de chocolat de 6-7 cm de longueur sur un papier de cuisson. Avant la prise, parsemer de fruits secs et/ou à coques.

Laisser reposer à température ambiante 15 min minimum.

Conserver en boîte hermétique.

MOUSSEUX
NI CHAUD NI FROID

POUR 6 À 8 MOUSSES • PRÉPARATION : 30 MIN • CUISSON : 7-8 MIN

- -

Voici une recette ultra-facile, ultra-rapide, ultra-gourmande, ultra-crémeuse, ultra-chocolat…
Bref, ultra-géniale ! Merci au chef espagnol Ferran Adrià (pionnier de l'utilisation de l'agar-agar
en cuisine et pâtisserie) et à ses idées folles qui ont bousculé le monde de la gastronomie.

POUR LES CRISTALLINES D'AMANDE
- 100 g de poudre d'amande
- 60 g de sirop d'agave

POUR L'ÉCUME DE CHOCOLAT
- 170 g de chocolat noir Bio Oriado 60 %
- 270 g de lait entier
- 2 g d'agar-agar

MATÉRIEL
- Siphon à chantilly
- Cercle à mousse en inox (Ø 6-8 cm / hauteur : 4-5 cm ; facultatif)

CRISTALLINES D'AMANDE. Préchauffer le four à 140-150 °C (th. 4-5).

Mélanger soigneusement la poudre d'amande avec le sirop d'agave jusqu'à obtenir une texture de pâte d'amande.

Étaler très finement (1 mm d'épaisseur) la pâte entre deux feuilles de papier de cuisson. Retirer celle du dessus et cuire au four 7-8 min jusqu'à obtenir une jolie couleur dorée.

Réserver au sec jusqu'au moment de servir.

ÉCUME DE CHOCOLAT. Dans une casserole sur feu doux, mélanger l'agar-agar avec le lait froid et donner un bon bouillon.

Verser le liquide chaud sur le chocolat dans un saladier, en trois ou quatre fois, puis mixer jusqu'à obtenir une texture très élastique et brillante (voir p. 10).

Verser l'émulsion dans un siphon à chantilly et mettre deux cartouches de gaz. Bien secouer et garnir aussitôt le cercle en inox si vous choisissez de dresser sur assiette, ou bien garnir des coupes. Réserver à température ambiante.

FINITION. Piquer des éclats de cristallines d'amande dans le mousseux chocolat, de façon élégante et surtout… gourmande. Consommer à température ambiante.

EFFET GOURMAND
Si vous en avez l'envie et le temps, accommodez ce délicieux dessert d'une poêlée de fruits, d'une julienne d'ananas, ou encore d'un simple yaourt fermier à la vanille.

À BOIRE
AU COIN DU FEU

POUR 6 À 8 TASSES • PRÉPARATION : 20 MIN • CUISSON : 5 MIN

Le chocolat chaud, on adore... Ce plaisir régressif nous évoque la douceur de l'enfance.
Je vous propose cette recette onctueuse réalisée avec du chocolat au lait méga-gourmand...
Pour un pur moment de bonheur et de réconfort !

POUR LE CHOCOLAT CHAUD
- 250 g de chocolat au lait
  Caramélia 36 %
- 900 g de lait écrémé
- 85 g de flocons d'avoine

POUR L'ÉCUME DE POMME
- 150 g de lait écrémé
- 150 g de jus de pomme frais

MATÉRIEL
- Mousseur à lait

CHOCOLAT CHAUD. Préchauffer le four à 160-180 °C (th. 5-6).

Étaler en fine couche les flocons d'avoine sur la plaque du four, puis les mettre à griller jusqu'à obtenir une coloration blond doré.

Dans une casserole sur feu doux, verser le lait froid, ajouter les flocons d'avoine grillés et donner un bouillon.

Mettre le chocolat dans un saladier. Verser le lait infusé très chaud à travers un chinois sur le chocolat en trois ou quatre fois, puis mélanger parfaitement à la maryse. Reverser dans la casserole et redonner un léger bouillon. Mixer quelques secondes puis réserver au bain-marie.

ÉCUME DE POMME. Mélanger le lait et le jus de pomme dans un saladier. Faire mousser en petites quantités au mousseur à lait. Déposer l'écume sur chaque tasse remplie de chocolat chaud.

EFFET GOURMAND
Si vous n'aimez pas le goût de la pomme, préparez un lait à la cannelle ou à l'anis. C'est tout aussi bon !

ENTRE NOUS
Si vous ne disposez pas de mousseur à lait, vous ne pourrez pas réaliser l'écume. Mais ce chocolat chaud n'en restera pas moins délicieux !

TOUS FONDUS
DE CHOCOLAT !

POUR 6 À 8 PERSONNES • PRÉPARATION : 30 MIN • CUISSON : 4-5 MIN

- -

*Adieu, la fondue au chocolat pour les nuls ! Cette recette aux fruits frais sort
des sentiers battus, pour un moment de plaisir partagé où chacun pique et trempe.
Je suis adepte de ce type de baignade... toute l'année !*

POUR LA FONDUE AU CHOCOLAT

- 175 g de chocolat noir
  Équatoriale 55 %
- 150 g de lait entier
- 150 g de crème liquide
  à 35 % de MG
- 18 g de Sauceline Maïzena

POUR LES PANNEQUETS
DE FRUITS FRAIS

- 100 g de framboises
- 2 bananes
- 2 poires
- 1 ananas
- 1 mangue
- 1 sachet de feuilles de brick
- Beurre ramolli et sucre glace
  pour la dorure

MATÉRIEL

- Caquelon et piques à fondue

ENTRE NOUS
Choisissez des fruits mûrs,
goûteux... pour profiter
pleinement de ce dessert.

FONDUE AU CHOCOLAT. Rassembler dans une casserole le lait, la crème liquide et la Sauceline Maïzena, et remuer au fouet pour bien délayer le mélange. Chauffer à feu doux et porter à ébullition.

Verser sur le chocolat dans un cul-de-poule, en trois ou quatre fois, jusqu'à obtenir une texture élastique et brillante (voir p. 10). Mixer quelques secondes.

PANNEQUETS DE FRUITS FRAIS. Préchauffer le four à 220-230 °C (th. 7-8).

Bien laver les fruits, les éplucher et les couper en petits morceaux.

Découper des bandes de feuilles de brick de 12 cm de long et 4 cm de large. Les croiser deux par deux et déposer au centre des morceaux de fruits (une sorte de fruit à la fois). Humidifier les coins de pâte, puis refermer en croix les quatre coins.

Retourner ces pannequets sur une plaque recouverte de papier de cuisson, les beurrer légèrement à l'aide d'un pinceau et les saupoudrer de sucre glace.

Enfourner pour 4-5 min, jusqu'à ce que la pâte à brick blondisse et devienne croustillante.

FINITION. Verser la fondue au chocolat dans un caquelon à fondue et maintenir à feu très doux au centre de la table.

Garnir une assiette par convive d'un assortiment de petits pannequets que chacun trempera dans le caquelon à l'aide d'une pique.

GUIMAUVES
PUR GUANAJA

POUR 80 GUIMAUVES • PRÉPARATION : 1 H • CUISSON : 5 MIN • REPOS À TEMPÉRATURE : 12 H

Cette friandise est pleine de caractère ! Prenez-en une bouchée et fermez les yeux : les odeurs du maquis vous assaillent, vous êtes en Corse. Les saveurs du miel se révèlent peu à peu et vous enveloppent comme les notes d'un chant polyphonique un beau soir d'été...

- 130 g de chocolat noir Guanaja 70 %
- 200 g de sucre en poudre
- 160 g de miel du maquis
- 16 g de gélatine en poudre (ou 8 feuillles)
- 105 g d'eau froide
- 3 cuil. à soupe de Poudre de cacao Valrhona

MATÉRIEL
- Poche à douille jetable coupée fin
- Cadre en inox 18×18cm (facultatif)

ENTRE NOUS
Il est impossible de réaliser cette recette en petites quantités, mais les guimauves se conservent très bien dans une boîte hermétique en fer.

LA VEILLE

GUIMAUVES. Faire fondre le chocolat jusqu'à ce qu'il atteigne 45 °C (voir p. 9).

Rassembler l'eau, le sucre et 70 g de miel dans une casserole et porter à ébullition.

Mettre 90 g de miel et la gélatine réhydratée (voir p. 11) dans le bol d'un robot muni des fouets. Verser le sirop réalisé dessus. Laisser monter jusqu'à obtenir la texture d'une mousse à raser (cela peut prendre un certain temps), puis incorporer le chocolat fondu.

Étaler une couche de cette préparation de 2 cm d'épaisseur sur une feuille de papier de cuisson (dans un cadre c'est encore mieux !). Réserver 5 min au réfrigérateur.

DÉCOR (FACULTATIF). Aussitôt après, mettre le reste de préparation dans la poche à douille et déposer sur la plaque de guimauve des fils très fins de guimauve encore molle, de façon aléatoire, pour créer un joli effet moucharabieh.

Laisser reposer une nuit.

LE JOUR MÊME

FINITION. Saupoudrer de cacao, puis découper des carrés de 2 cm.

TOUT UN **FLAN** !

POUR 6 À 8 PERSONNES • PRÉPARATION : 1 H • CUISSON : 25 MIN • REPOS AU FRAIS : 1 H

Quand j'étais petit, sur le chemin de l'école, je faisais une halte chez Courouve,
à Ancy-sur-Moselle, pour acheter une part de flan ou un pain aux raisins lorrain.
Aujourd'hui le flan pâtissier retrouve ses lettres de noblesse : il n'y a qu'à le voir trôner
dans les vitrines des boulangers et des pâtissiers ! Un must.

POUR LA PÂTE SABLÉE AUX AMANDES

- 110 g de beurre mou
- 50 g d'œuf entier (1 œuf)
- 90 g de sucre glace
- 235 g (60 g + 175 g) de farine T55
- 30 g de poudre d'amande
- 2 pincées de sel

POUR LA CRÈME PÂTISSIÈRE AU CHOCOLAT

- 200 g de chocolat au lait Équatoriale 35 %
- 500 g de lait entier
- 150 g d'œufs entiers (3 œufs)
- 20 g de jaune d'œuf (1 jaune)
- 60 g de sucre en poudre
- 30 g de Maïzena

MATÉRIEL

- Moule à tarte (Ø 24-26 cm)
- Haricots de cuisson ou haricots secs

PÂTE SABLÉE AUX AMANDES. Dans un saladier, travailler le beurre en pommade. Ajouter le sucre, le sel, l'œuf, la poudre d'amande et 60 g de farine. Lorsque le mélange est homogène, ajouter 175 g de farine (ne pas trop mélanger pour éviter que la pâte devienne élastique). Former une boule, l'aplatir légèrement avec la paume et réserver au réfrigérateur environ 1 h.

Préchauffer le four à 170 °C (th. 5-6).

Lorsque la pâte est froide, la sortir du réfrigérateur et l'étaler. Foncer le moule et déposer des haricots sur le fond de tarte. Cuire au four pendant environ 20 min jusqu'à l'obtention d'une belle couleur dorée.

CRÈME PÂTISSIÈRE AU CHOCOLAT. Mélanger dans un saladier les œufs entiers, le jaune d'œuf, le sucre et le lait, puis délayer la Maïzena. Verser dans une casserole, cuire à feu doux en prenant soin de remuer constamment avec un fouet jusqu'à ce que la préparation épaississe.

Hors du feu, verser la crème pâtissière sur le chocolat en plusieurs fois, en remuant énergiquement. Mixer quelques secondes avant de verser dans le fond de tarte bien cuit.

FINITION. Mettre sous le gril 5-10 min pour qu'une légère croûte se forme à la surface du flan. Déguster ce flan tiède ou froid.

EFFET GOURMAND
À la saison des myrtilles et des framboises, ajoutez-en dans la crème pâtissière, avant de la verser dans le fond de tarte. En bouche, c'est une expérience inoubliable !

PÂTE DULCEY
DE QUOI EN FAIRE UNE TARTINE !

POUR 1 POT • PRÉPARATION : 1 H • CUISSON : 20 MIN • REPOS À TEMPÉRATURE : 12 H

Plaisir décadent par excellence, la pâte à tartiner a le goût de l'enfance. On y revient toujours, un peu en cachette... Pour vous comme pour la prochaine génération de petits gourmands, voici une recette à la fois simple et délicieuse !

POUR LES ÉCLATS DE NOISETTES CARAMÉLISÉES
- 75 g de noisettes concassées
- 50 g de sucre en poudre
- 20 g d'eau
- 1 pincée de fleur de sel

POUR LA PÂTE À TARTINER À LA NOISETTE
- 50 g de chocolat Dulcey 32 %
- 100 g (85 g + 15 g) d'éclats de noisettes caramélisées

MATÉRIEL
- 1 bocal en verre

ÉCLATS DE NOISETTES CARAMÉLISÉES. Dans une casserole, cuire l'eau et le sucre à 118 °C, puis ajouter les noisettes concassées. À l'aide d'une spatule en bois, mélanger pour bien enrober de sirop les morceaux de noisettes, puis continuer de remuer jusqu'à obtenir la cuisson désirée (blanc sablé ou caramélisé). Ajouter une pincée de fleur de sel en fin de cuisson.

Une quantité minimum de sucre est nécessaire pour en maîtriser la cuisson. On peut conserver l'excédent d'éclats de noisettes en boîte hermétique : ils accompagneront facilement certains de vos desserts, yaourts ou autres petits plaisirs...

PÂTE À TARTINER. Broyer 85 g d'éclats de noisettes caramélisées dans un robot (blender puissant, mini-hachoir...) jusqu'à obtenir une pâte homogène.

Faire fondre le chocolat (voir p. 9), puis incorporer la pâte à tartiner à la noisette. Ajouter ensuite les 15 g d'éclats de noisettes caramélisées restants.

Abaisser la température, en mélangeant sur un bain-marie d'eau froide. Dès que le mélange commence à épaissir, garnir le bocal. Laisser reposer à température ambiante au moins 12 h avant de déguster.

> **EFFET GOURMAND**
> Vous pouvez jouer sur la cuisson des éclats de noisettes pour apporter une note plus ou moins caramélisée.
> On peut remplacer les noisettes par des pignons, des graines de courge, du grué de cacao...

LE CHOCOLAT
CLASSIQUE

POUR 8 À 10 PERSONNES • PRÉPARATION : 1 H • CUISSON : 40 MIN • REPOS À TEMPÉRATURE : 2-3 H

Tout droit venu du Japon, ce biscuit est devenu une icône des artisans pâtissiers nippons. Chez nous, ce « moelleux » ou « tendre au chocolat » n'a pas encore trouvé la place qu'il mérite... Et s'il ne tenait qu'à vous de faire connaître ce surprenant dessert ?

POUR LE GÂTEAU AU CHOCOLAT CLASSIQUE

- 135 g de chocolat noir Guanaja 70 %
- 150 g de crème liquide
  à 35 % de MG
- 110 g de blancs d'œufs (4 blancs)
- 65 g de jaunes d'œufs (3 jaunes)
- 110 g de sucre en poudre
- 35 g de farine T55 tamisée
- 40 g d'huile de noisette (ou neutre)
- Beurre et sucre en poudre
  pour le moule

POUR LA CRÈME SAFRANÉE

- 300 g de lait entier
- 20 g de sucre en poudre
- 13 g de Maïzena
- 2 gousses de vanille
- 3 ou 4 pistils de safran
  (soit 9 ou 12 filaments)

POUR LE DÉCOR

- Sucre glace ou Poudre de cacao
  Valrhona (facultatif)

MATÉRIEL

- Moule à manqué (Ø 24 cm)

GÂTEAU AU CHOCOLAT CLASSIQUE. Préchauffer le four à 160 °C (th. 5-6). Beurrer et sucrer le moule.

Chauffer la crème liquide dans une casserole. Faire fondre le chocolat (voir p. 9), le verser dans un cul-de-poule. Verser la crème chaude sur le chocolat fondu en trois ou quatre fois. Mixer quelques instants, en ajoutant l'huile de noisette, puis les jaunes d'œufs et 50 g de sucre.

Monter les blancs d'œufs en neige au bec d'oiseau (voir p. 11) en incorporant progressivement 100 g de sucre. Incorporer un tiers, à l'aide d'une maryse, dans le mélange chocolat, puis la farine en pluie, et enfin le reste des blancs en neige.

Garnir le moule et enfourner pour 30-35 min (la pointe d'un couteau piquée au cœur du gâteau doit ressortir à peine chocolatée). Laisser refroidir.

CRÈME SAFRANÉE. Fendre les gousses de vanille et en gratter les grains avec le dos d'un couteau. Dans une casserole, mélanger les grains de vanille, le lait, le safran, le sucre et la Maïzena. Donner un bon bouillon et laisser refroidir.

Réserver au réfrigérateur au moins 2 h pour que le safran infuse. Passer au chinois. Bien mélanger avant de servir.

FINITION. Sur le gâteau au chocolat classique à température ambiante (surtout pas froid), saupoudrer un tout petit peu de sucre glace ou de cacao en poudre. Servir accompagné de la crème safranée.

> **EFFET GOURMAND**
> Vous pouvez marier ce biscuit avec une boule de parfait glacé au chocolat (voir p. 16).

MOUSSE AU CHOCOLAT
FAÇON MAMIE PAULETTE

POUR 6 À 8 PERSONNES • PRÉPARATION : 1 H • CUISSON : 15 MIN • REPOS AU FRAIS : 6-8 H MINIMUM

Ah, la mousse au chocolat de ma grand-mère ! Son souvenir est resté gravé dans ma mémoire : son onctuosité qui me caressait le palais, ses bulles qui claquaient sous la langue et nous faisaient rire ! Et que dire des langues de chat (maison, bien sûr) ? Un vrai régal !

POUR LA MOUSSE AU CHOCOLAT
- 310 g de chocolat noir Bio Oriado 60 %
- 50 g de Perles ou pépites de chocolat noir Valrhona
- 150 g de lait entier
- 60 g de jaunes d'œufs (3 jaunes)
- 200 g de blancs d'œufs (7 blancs)
- 50 g de sucre en poudre

POUR LES LANGUES DE CHAT
- 125 g de beurre ramolli
- 90 g de blancs d'œufs (3 blancs)
- 125 g de sucre en poudre
- 150 g de farine T55
- 1 pincée de sel

MATÉRIEL
- Poche à douille jetable coupée (Ø 4 mm)

ENTRE NOUS
Faites des langues de chat au beurre noisette : sur feu doux, laissez le beurre fondre puis frémir ; il devient blond, puis noisette ! Laissez-le refroidir hors de la casserole et continuez la recette.

MOUSSE AU CHOCOLAT. Mettre le chocolat dans un cul-de-poule. Par ailleurs, dans une casserole, faire bouillir le lait, puis le verser sur le chocolat noir en trois ou quatre fois tout en mélangeant afin de créer un noyau élastique, lisse et brillant (voir p. 10). Mixer quelques instants pour parfaire l'émulsion. Ajouter les jaunes d'œufs et mixer quelques secondes.

Monter les blancs d'œufs en neige au bec d'oiseau (voir p. 11), en ajoutant progressivement le sucre.

Vérifier que le premier mélange est à 38-40 °C, incorporer un quart des blancs en neige, puis le reste. Ajouter les perles de chocolat noir et mélanger.

Verser sans tarder dans des verrines (ou un saladier). Réserver au réfrigérateur pendant 6-8 h (idéalement une nuit).

LANGUES DE CHAT. Préchauffer le four à 190-200 °C (th. 6-7).

Dans un saladier, mélanger à la maryse le beurre ramolli, le sucre et le sel.

Ajouter les blancs d'œufs un à un, en mélangeant bien entre chaque, puis incorporer la farine tamisée. Remplir une poche à douille jetable.

Sur une plaque recouverte de papier de cuisson, dresser en quinconce des bâtonnets de pâte de 5-7 cm de longueur. Enfourner pour 8-12 min (les bords doivent être d'une belle couleur brune et le milieu encore blanc).

Faire glisser les langues de chat sur une grille. Laissez-les refroidir hors du four, puis réserver dans une boîte hermétique.

SOPHISTIQUÉ

UNE ÎLE ENTRE
PASSION ET COCOTIERS

POUR 6 À 8 PERSONNES • PRÉPARATION : 30 MIN • CUISSON : 5 MIN • REPOS AU FRAIS : 2-3 H

L'île flottante est un de mes desserts préférés, un de ceux que ma mère réussissait à la perfection.
Je me souviens de cette montagne de flocons de neige étincelant de caramel filé...
Suivez-moi, ma version de cette recette vous transporte vers de lointaines contrées...

POUR LA CRÈME PASSION

- 100 g d'Inspiration Passion Valrhona
- 1 mangue
- 15 g de Maïzena
- 50 g de jus de fruit de la passion frais
- 250 g (100 g + 150 g) de lait de coco

POUR LES BLANCS EN NEIGE COCO

- 125 g de blancs d'œufs (4 blancs)
- 20 g de sucre muscovado (ou sucre en poudre)

FINITION

- 50 g de copeaux de noix de coco frais ou secs

MATÉRIEL

- Ramequins ou empreintes en silicone demi-sphères (Ø 6-8 cm)

ENTRE NOUS

Si vous n'avez pas de four à micro-ondes, pochez les blancs dans du lait chaud, ou cuisez-les à la vapeur dans un couscoussier.

3 HEURES AVANT

CRÈME PASSION. Éplucher la mangue, prélever 150 g de chair et la mettre dans un saladier. Ajouter 100 g de lait de coco, le jus de fruit de la passion, la Maïzena, puis mixer jusqu'à ce que l'émulsion soit fine et crémeuse.

Verser la préparation dans une casserole et faire bouillir quelques secondes.

Dans un autre saladier, verser la crème passion sur l'Inspiration Passion, en trois ou quatre fois, puis mixer jusqu'à obtenir une texture brillante et élastique (voir p. 10). Ajouter 150 g de lait de coco et mixer quelques secondes.

Réserver au réfrigérateur pendant 2-3 h dans un plat (type plat à gratin).

BLANCS EN NEIGE COCO. Monter les blancs en neige avec le sucre, à vitesse moyenne, jusqu'à obtenir une texture mousseuse et lisse.

Garnir à moitié des ramequins ou des empreintes en silicone demi-sphères de blancs en neige et cuire au four à micro-ondes, pendant environ 30 s. à la puissance maximum. Démouler sur un papier absorbant et réserver au réfrigérateur jusqu'au moment de servir.

AU MOMENT DE SERVIR

FINITION. Garnir des coupes de crème passion, déposer par-dessus les blancs meringués cuits et parsemer de copeaux de noix de coco.

PÊCHES RÔTIES
ET ÉCUME DE PRALINÉ AU TOFU

POUR 6 À 8 PÊCHES • PRÉPARATION : 20 MIN • CUISSON : 15 MIN • REPOS AU FRAIS : LE TEMPS DU REPAS

J'ai redécouvert le tofu soyeux lors d'un voyage au Japon, sous la forme
d'une délicieuse crème brûlée aux saveurs fines et délicates. Associé à la pêche blanche,
ce tofu soyeux au praliné est à la fois troublant de légèreté et généreux en bouche.
Tout comme moi, laissez-vous surprendre, vous ne le regretterez pas...

POUR L'ÉCUME DE PRALINÉ AU TOFU SOYEUX
- 400 g de tofu soyeux
- 200 g de Praliné amandes noisettes fruité 50% Valrhona

POUR LES PÊCHES RÔTIES
- 6 à 8 pêches blanches mûres
- 3 cuil. à café de sucre en poudre
- 2 cuil. à soupe d'huile d'olive
- Quelques brins de thym frais

POUR LA SAUCE PRALINÉE
- 125 g de Praliné amandes noisettes fruité 50% Valrhona
- 70 g d'eau froide (ou de jus de fruit frais au choix)

MATÉRIEL
- Siphon à chantilly

ÉCUME DE PRALINÉ. Mixer le praliné en ajoutant progressivement le tofu soyeux, afin d'obtenir une texture très lisse, élastique et brillante : une belle émulsion (voir p. 10).

Verser dans un siphon à chantilly et mettre deux cartouches de gaz. Réserver au réfrigérateur le temps du repas.

PÊCHES RÔTIES. Préchauffer le four à 210-220 °C (th. 7-8).

Mettre une casserole d'eau à bouillir. Y plonger les pêches quelques secondes, puis les sortir de l'eau et les éplucher.

Les mettre dans un plat à gratin, les piquer de quelques brins de thym, les badigeonner d'huile d'olive et les saupoudrer très légèrement de sucre. Enfourner pour environ 15 min.

SAUCE PRALINÉE. Fouetter le praliné avec l'eau froide (ou le jus de fruit frais), puis mixer.

FINITION. Au moment de servir, poser une pêche rôtie par assiette.

À l'aide du siphon, former une jolie boule d'écume de praliné au tofu soyeux et terminer par quelques pointes de sauce pralinée.

EFFET GOURMAND
Si vous avez quelques sablés en réserve ou un peu de streusel au congélateur prêt à cuire, ajoutez-les pour accompagner ce dessert surprenant.

VOYAGE, **VOYAGE**

POUR 8 À 10 PERSONNES • À PRÉPARER LA VEILLE • PRÉPARATION : 1 H 10
CUISSON : 45-50 MIN • REPOS À TEMPÉRATURE : 2-4 H

- -

Le marbré est un classique, et pourtant il se révèle souvent décevant... Alors permettez-moi
de militer pour ce gâteau de voyage à base de vrai chocolat et non de cacao en poudre !

POUR LA PÂTE NATURE

- 25 g de lait entier
- 100 g de beurre
- 125 g d'œufs entiers (2 gros œufs)
- 60 g de sucre glace
- 125 g de farine T45
- 5 g de levure chimique
- 65 g de miel
- 2 pincées de fleur de sel
- Beurre pour le moule

POUR LA PÂTE AU CHOCOLAT

- 75 g de chocolat noir
  Équatoriale Noir 55 %
- 200 g de pâte de marbré nature
- 20 g de lait entier bien froid
- Beurre pour le moule

POUR L'ÉLIXIR DULCEY
AU GINGEMBRE

- 150 g de chocolat Dulcey 32 %
- 15 g de jus de gingembre frais
  (60-70 g de bulbe)

MATÉRIEL

- Poche à douille jetable coupée
  (Ø 5 mm)
- Moule à cake (22-24 cm)
- Centrifugeuse (facultatif)

LA VEILLE

PÂTE NATURE. Faire fondre le beurre à feu doux. Tamiser ensemble la farine, le sucre glace, la fleur de sel et la levure chimique.

Mélanger au robot muni du fouet ou de la feuille (ou bien dans un cul-de-poule au fouet) les œufs avec le miel. Puis ajouter les poudres tamisées, le lait et le beurre fondu chaud à 45-48 °C (cette température est importante). Réserver au réfrigérateur au moins 12 h.

Mettre de côté 200 g de cette pâte à marbré nature pour réaliser la recette de pâte à marbré au chocolat.

PÂTE AU CHOCOLAT. Faire fondre le chocolat jusqu'à ce qu'il atteigne 45-50 °C (voir p. 9). Ajouter au fouet le lait froid, puis la pâte à marbré nature mise de côté. Mélanger jusqu'à obtenir une consistance homogène (sans donner trop de corps).

LE JOUR MÊME

ÉLIXIR DULCEY AU GINGEMBRE. Faire fondre le chocolat jusqu'à ce qu'il atteigne 45-50 °C (voir p. 9).

Laver et éplucher le gingembre. Le passer à la centrifugeuse ou le râper très finement et le presser à travers une mousseline pour en récupérer le jus. Verser sur le chocolat fondu et remuer avec une maryse jusqu'à obtenir une texture élastique et brillante. Garnir une poche à douille et réserver à température ambiante.

FINITION. Préchauffer le four à 160 °C (th. 5-6).

Beurrer le moule. Le garnir de façon aléatoire avec les pâtes à marbré nature et chocolat, puis enfourner pour 45-50 min (la pointe d'un couteau piquée au cœur du gâteau doit ressortir sèche). Laisser refroidir.

Lorsque le marbré est tiède, piquer le dessous de quelques coups de couteau ou de manche de spatule en bois et remplir les trous d'élixir Dulcey au gingembre à l'aide de la poche. Laisser refroidir pendant 2-4 h avant de déguster.

DE PARIS... À BREST

POUR 6 À 8 PERSONNES • PRÉPARATION : 2 H • CUISSON : 1 H 30 • REPOS AU FRAIS : 3-4 H

POUR LES CHOUX

- 50 g de dragées blanches (facultatif)
- Un peu de sucre glace
- Autres ingrédients : voir p. 14

POUR LES POMELOS MI-CONFITS

- 2 pomelos roses non traités
- 30 g de beurre
- 150 g de sucre en poudre
- 30 g de cassonade
- 100 g d'eau
- 5 g de Maïzena

POUR LA CRÈME DOUCE AU PRALINÉ

- 250 g de chocolat Dulcey 32 %
- 100 g de Praliné amandes noisettes fruité 50 % Valrhona
- 350 g de crème liquide à 35 % de MG bien froide
- 110 g de lait entier
- 50 g de noisettes grillées concassées

MATÉRIEL

- Poche à douille cannelée moyenne (facultatif)

QUELQUES HEURES AVANT

CHOUX. Procéder comme indiqué p. 14 puis garnir la poche à douille cannelée et dresser 6-8 ronds de pâte (Ø 7-8 cm) sur une plaque recouverte de papier de cuisson. Dorer au pinceau avec l'œuf battu et disposer sur chaque rond de pâte quelques éclats de dragées. Enfourner et cuire comme indiqué p. 14.

POMELOS MI-CONFITS. Dans un faitout, faire bouillir dans beaucoup d'eau les pomelos (entiers et lavés) pendant 1 h afin de réduire leur amertume. Les égoutter et les couper grossièrement.

Mettre le beurre et la cassonade dans le faitout et faire revenir les pomelos coupés. Lorsqu'ils commencent à caraméliser, recouvrir d'eau et ajouter le sucre. Laisser réduire jusqu'à presque complète évaporation. Recouvrir d'eau à nouveau et laisser réduire.

Dans un bol, délayer la Maïzena dans 100 g d'eau. Hacher finement les pomelos au couteau avant d'ajouter la Maïzena délayée. Faire bouillir quelques minutes sans cesser de remuer pour éviter une texture farineuse. Réserver au réfrigérateur.

CRÈME DOUCE AU PRALINÉ. Faire chauffer le lait dans une casserole.

Faire fondre le chocolat jusqu'à ce qu'il atteigne 35-40 °C (voir p. 9) et verser dessus en trois ou quatre fois le lait chaud pour émulsionner le mélange (voir p. 10). Tout en mixant, ajouter le praliné. Terminer par la crème liquide froide et mixer à nouveau. Réserver au réfrigérateur pendant 3-4 h.

AVANT LE REPAS

Dans le bol d'un robot muni du fouet (ou au fouet manuel), monter la crème douce au praliné avec les noisettes concassées à vitesse modérée. Cesser de monter dès que la texture devient suffisamment onctueuse et crémeuse pour être dressée à la poche à douille.

MONTAGE. Couper les choux en deux. Garnir légèrement les fonds de crème au praliné. Dresser à la cuillère les pomelos confits, puis à la poche à douille cannelée la crème douce au praliné. Saupoudrer les chapeaux de sucre glace avant de les poser sur les choux. Déguster bien frais !

RIZ AU LAIT
DU CHOCOLATIER

POUR 8 À 10 PERSONNES • À PRÉPARER LA VEILLE • PRÉPARATION : 1 H 30
CUISSON : 25-30 MIN • REPOS AU FRAIS : 12 H

- -

Le riz au lait de ma mère a bercé mon enfance. Je l'aimais tiède, encore tremblant
et onctueux... La température idéale pour déguster un riz au lait, c'est 35-40 °C.
N'hésitez donc pas à le réchauffer au four !

**POUR LA CRÈME ANGLAISE
DE BASE**
- Voir p. 14

POUR LE CRÉMEUX JIVARA
- Voir p. 18

POUR LE RIZ AU LAIT
- 100 g de riz rond
- 500 g de lait entier
- 150 g de crème liquide
  à 35 % de MG bien froide
- 10 g de sucre en poudre
- 1 gousse de vanille

POUR LA SAUCE CHOCOLAT
- 100 g de chocolat au lait Jivara 40 %
- 60 g de lait entier

MATÉRIEL
- Poche à douille lisse (Ø 10 mm)

LA VEILLE

CRÈME ANGLAISE. Procéder comme indiqué p. 14.

CRÉMEUX JIVARA. Procéder comme indiqué p 18.

LE JOUR MÊME

RIZ AU LAIT. Fendre la gousse de vanille et en gratter les grains avec le dos d'un couteau.

Faire bouillir dans une casserole le lait avec le sucre et les graines de vanille. Ajouter le riz et cuire 25-30 min selon le type de riz, à feu doux, sans couvrir, en remuant de temps à autre. Puis incorporer la crème liquide froide.

SAUCE CHOCOLAT. Faire fondre le chocolat (voir p. 9).

Dans une casserole, porter le lait à ébullition. Verser progressivement le lait chaud sur le chocolat fondu tout en mélangeant, jusqu'à obtenir un noyau élastique, lisse et brillant (voir p. 10). Mixer dès que possible pour parfaire l'émulsion.

FINITION. Répartir le riz au lait dans des assiettes creuses. À l'aide d'une poche à douille, réaliser plusieurs boules de crémeux Jivara sur le riz. Ajouter 1 cuil. à soupe de sauce chocolat par assiette.

RELIGIEUSES
CHOCOLAT-FRAMBOISE

POUR 8 À 10 RELIGIEUSES • PRÉPARATION : 2 H 30 • CUISSON : 35 MIN • REPOS AU FRAIS : 4-6 H

Les petits choux sont une invitation à la gourmandise : qui n'a jamais eu envie, enfant, de les avaler tout rond ? Dans cette recette, le duo chocolat-framboise révèle de fabuleuses notes acidulées. Au moment du dessert, tout le monde savoure... dans un silence religieux, bien sûr !

POUR LE CROUSTILLANT
- 60 g de beurre ramolli
- 70 g de cassonade
- 70 g de farine T55

POUR LA PÂTE À CHOUX
- Voir p. 14

POUR LA CRÈME ANGLAISE
- Voir p. 14 en doublant les quantités

POUR LE CRÉMEUX CHOCOLAT-FRAMBOISE
- 640 g de crème anglaise
- 400 g de chocolat noir Manjari 64 % + quelques fèves pour le décor
- 500 g de pulpe de framboise

MATÉRIEL
- Emporte-pièces (Ø 5-6 cm et 3-3,5 cm)
- Poche à douille
- Douille lisse n° 8

LA VEILLE OU LE MATIN

CROUSTILLANT. Dans un saladier, mélanger le beurre ramolli, la cassonade et la farine. Étaler entre deux feuilles de papier de cuisson pour obtenir une épaisseur de 2 mm. Mettre au congélateur pour 10-15 min. À l'aide d'emporte-pièces, détailler des disques pour les gros choux (Ø 5-6 cm) et pour les petits choux (Ø 3-3,5 cm).

PÂTE À CHOUX. Procéder comme indiqué p. 14, puis garnir la poche jetable et dresser 8 à 10 gros choux (Ø 5-6 cm) et 8 à 10 petits choux (Ø 3-3,5 cm) sur une plaque recouverte de papier de cuisson. Dorer au pinceau avec l'œuf battu et disposer sur chaque rond de pâte un disque de croustillant. Enfourner et cuire comme indiqué p. 14.

CRÈME ANGLAISE. Procéder comme indiqué p. 14 en doublant les quantités.

CRÉMEUX CHOCOLAT-FRAMBOISE. Faire fondre le chocolat jusqu'à ce qu'il atteigne environ 40 °C (voir p. 9).

Verser progressivement la crème anglaise sur le chocolat fondu tout en mélangeant afin de créer un noyau élastique, lisse et brillant (voir p. 10). Mixer dès que possible pour parfaire l'émulsion en prenant soin de travailler à une température supérieure à 35 °C. Ajouter la pulpe de framboise et mixer à nouveau. Réserver au réfrigérateur au moins 4-6 h.

LE JOUR MÊME OU LE SOIR

MONTAGE ET FINITION. Percer les gros choux sur le dessus et percer les petits par-dessous. Garnir la poche à douille n° 8 de crémeux chocolat-framboise et fourrer les choux. Déposer une corole de crémeux sur chaque gros chou, saupoudrer de chocolat noir Manjari râpé, puis coller tout autour de la corolle des demi-framboises. Terminer en pressant légèrement un petit choux au centre des framboises.

SAOTOUBO

POUR 6 À 8 PIÈCES • À PRÉPARER LA VEILLE • PRÉPARATION : 1 H 30
CUISSON : 12-15 MIN • REPOS AU FROID : UNE NUIT

Un des grands classiques que nous avons créés à l'École Valrhona ces dernières années.

POUR LE PARFAIT GLACÉ À LA CHICORÉE

- 350 g de crème liquide à 35 % de MG
- 120 g de sucre en poudre
- 120 g de blancs d'œufs (3 blancs)
- 40 g de chicorée liquide

POUR LA PÂTE À MOELLEUX CHOCOLAT

- 200 g de chocolat noir Guanaja 70 %
- 190 g de blancs d'œufs (6-7 blancs)
- 40 g de jaunes d'œufs (2 jaunes)
- 50 g de sucre en poudre
- 35 g de beurre
- 30 g de farine T55
- 6 à 8 Cœurs fondants (Guanaja ou Praliné) Valrhona

MATÉRIEL

- Cercles en inox (Ø 5 cm ; hauteur : 5-6 cm)

PRÊT D'AVANCE
Vous pouvez congeler les cercles en inox garnis de pâte avant cuisson. Dès la sortie du congélateur, enfournez-les pour 15 à 18 min de cuisson.

LA VEILLE

PARFAIT GLACÉ À LA CHICORÉE. Dans un saladier, mélanger le sucre et les blancs d'œufs. Chauffer au bain-marie, tout en fouettant le mélange jusqu'à une température de 50-55 °C. Fouetter au batteur jusqu'à refroidissement complet.

Monter la crème liquide en une texture pas trop ferme.

À un tiers des blancs en neige, incorporer la chicorée liquide. À l'aide d'un fouet, incorporer délicatement le reste des blancs en neige, puis la crème montée en chantilly mousseuse.

Verser le parfait dans une boîte hermétique. Réserver au congélateur une nuit.

LE JOUR MÊME

PÂTE À MOELLEUX CHOCOLAT. Préchauffer le four à 180-190 °C (th. 6-7).

Faire fondre le chocolat jusqu'à ce qu'il atteigne 50-55 °C (voir p. 9), puis ajouter le beurre.

Monter les blancs d'œufs en neige au bec d'oiseau (voir p. 11), en ajoutant progressivement le sucre.

Incorporer les jaunes d'œufs au chocolat fondu. Ajouter un tiers des blancs en neige, puis incorporer à la maryse la farine et le reste des blancs.

Dans les cercles chemisés de papier de cuisson, verser 2 cm de pâte, puis introduire au centre un Cœur fondant. Recouvrir de pâte et enfourner pour 8 à 11 min jusqu'à ce que le dessus commence à lever, voire à se craqueler légèrement.

FINITION. Servir le saotoubo chaud ou tiède et l'accompagner d'une boule généreuse de parfait glacé.

ON DIRAIT **LE SUD...**

POUR 6 À 8 PERSONNES • PRÉPARATION : 1 H 30 • CUISSON : 20-25 MIN • REPOS AU FRAIS : 2 H 30

POUR LA PÂTE SABLÉE AUX AMANDES
- 25-30 g de chocolat blanc (pour le chablonnage)
- Autres ingrédients : voir p. 13

POUR LA CRÈME IVOIRE CITRON
- 130 g de chocolat blanc Ivoire 35 %
- 3 citrons de Menton non traités
- 50 g d'œuf entier (1 œuf)
- 60 g de blancs d'œufs (2 blancs)
- 40 g de sucre en poudre

POUR LA GELÉE DE CITRON À L'ESTRAGON
- 3 citrons de Menton non traités
- 50 g de sucre en poudre
- 2 g de gélatine en poudre (ou 1 feuille)
- 3 g d'agar-agar
- 100 g d'eau
- 12 à 15 feuilles d'estragon

MATÉRIEL
- Moules à tartelette (Ø 7-8 cm)
- Zesteur-râpe à grille très fine

QUELQUES HEURES AVANT

PÂTE SABLÉE AUX AMANDES. Procéder comme indiqué p. 13.

Étaler la pâte, foncer les moules à tartelette et laisser reposer à nouveau 30 min au réfrigérateur. Préchauffer le four à 150-160 °C (th. 5-6). Enfourner pour 20-25 min, jusqu'à obtenir une jolie couleur ambrée. Laisser refroidir.

CRÈME IVOIRE CITRON. Laver les citrons et prélever le zeste de l'un d'eux à l'aide d'un zesteur-râpe. Recueillir 150 g de jus. Dans une casserole, rassembler le jus de citron, le zeste, le sucre et les œufs. Cuire lentement à feu doux, jusqu'à ce que la préparation commence à épaissir, et arrêter la cuisson au premier bouillon.

Verser progressivement sur le chocolat blanc en mélangeant avec une maryse (l'émulsion doit être homogène). Mixer quelques secondes et utiliser sans tarder.

GELÉE DE CITRON À L'ESTRAGON. Réhydrater la gélatine (voir p. 11). Laver les citrons à l'eau chaude et prélever le zeste de deux d'entre eux à l'aide d'un économe. Recueillir 150 g de jus. Découper les zestes au couteau en filaments les plus fins possible. Rassembler tous les ingrédients dans une casserole et faire frémir à feu doux 3 ou 4 min. Passer au chinois, récupérer les zestes et les réserver jusqu'au moment du dressage, puis couler la gelée dans un plat à hauteur de 1 cm. Laisser figer à température ambiante puis réserver au réfrigérateur.

MONTAGE ET FINITION. Faire fondre le chocolat blanc (voir p. 9). En enduire les fonds de tartelette refroidis pour imperméabiliser la pâte et éviter qu'elle ne ramollisse (on appelle ça « chablonner »). Laisser durcir.

Verser la crème Ivoire citron juste tiédie dans les fonds de tartelette enduits de chocolat.

AVANT LE REPAS

Réaliser des « diamants » de gelée de citron avec la pointe d'un couteau en découpant directement dans le plat. Déposer en abondance les diamants de gelée et des zestes de citron pochés sur les tartelettes, puis réserver au réfrigérateur jusqu'au moment de servir.

DES TRUFFES
TOUT SIMPLEMENT

POUR 50 TRUFFES • PRÉPARATION : 1 H • REPOS AU FRAIS : 3-4 H

Aucun artifice pour ces truffes, juste de la tendresse et un minimum de poudre de cacao.
Sans oublier quand même quelques parfums de fleur d'oranger et de bergamote.
En sanscrit, *manjari* signifie « bouquet ». Délicatesse, élégance... et onctuosité en bouche !

POUR LA GANACHE
- 250 g de chocolat noir Manjari 64 %
- 250 g de crème liquide
  à 35 % de MG
- 50 g de miel
- 50 g de beurre ramolli
- 14 g de thé Earl Grey
- 5 g d'eau de fleur d'oranger
- 100 g de Poudre de cacao Valrhona
  (pour rouler les truffes)

EFFET GOURMAND
Vous pouvez bien évidemment choisir de ne pas utiliser de thé et parfumer cette recette avec une épice par exemple. À vous de choisir : safran, tonka, piment d'Espelette...

GANACHE. Dans une casserole sur feu doux, faire chauffer 200 g de crème liquide et y faire infuser le thé dans une mousseline pendant 5 min.

Compléter avec de la crème liquide jusqu'à obtenir à nouveau 200 g (le thé ayant absorbé une petite partie de la crème).

Porter la crème et le miel à ébullition, puis verser un tiers de la préparation sur le chocolat dans un saladier. Émulsionner en mélangeant énergiquement à l'aide d'une maryse afin de créer un noyau élastique et brillant (voir p. 10), puis ajouter progressivement la crème restante.

Incorporer le beurre ramolli et l'eau de fleur d'oranger et mélanger jusqu'à obtenir une ganache homogène. Mixer quelques secondes pour parfaire la texture.

Verser la préparation sur une plaque ou dans un plat plat (type plat à gratin), filmer au contact et laisser prendre la ganache pendant 3 à 4 heures au réfrigérateur.

FINITION. Découper la ganache en cubes et rouler ceux-ci dans la poudre de cacao.

VERRINES
VANILLE-FRAISE

POUR 8 À 10 VERRINES • PRÉPARATION : 2 H • CUISSON : 1 H 30 • REPOS AU FRAIS : 24 H

POUR LE BISCUIT EMMANUEL
- Voir p. 12

POUR LA BAVAROISE IVOIRE VANILLE
- 65 g de chocolat blanc Ivoire 35 %
- 175 g de lait entier
- 125 g de crème liquide à 35 % de MG bien froide
- 30 g de jaunes d'œufs (2 jaunes)
- 15 g de sucre en poudre
- 1 gousse de vanille
- 2 g de gélatine en poudre (ou 1 feuille)

POUR LE CRÉMEUX INSPIRATION FRAISE
- 200 g d'Inspiration Fraise Valrhona
- 250 g d'eau
- 5 g de sucre en poudre
- 6 g de fleurs d'hibiscus séchées
- 1,5 g de gélatine en poudre (ou 1 feuille)
- 1,5 g de pectine X58
- 0,25 g d'agar-agar

POUR LA FINITION
- 400 à 500 g de fraises

MATÉRIEL
- Poche à douille saint-honoré

L'AVANT-VEILLE

BISCUIT EMMANUEL. Procéder comme indiqué p. 12.

BAVAROISE IVOIRE VANILLE. Mettre le lait et la gousse de vanille fendue et grattée dans une casserole. Faire chauffer jusqu'à frémissement. Laisser infuser à couvert pendant environ 1 h. Retirer la gousse de vanille, ajouter la gélatine réhydratée (voir p. 11), les jaunes d'œufs et le sucre, puis mixer quelques secondes. Cuire à 84-85 °C en remuant avec la maryse, jusqu'à ce que la crème épaississe et nappe la spatule. Puis passer au chinois. Verser petit à petit sur le chocolat blanc dans un saladier, tout en mélangeant afin de créer un noyau élastique, lisse et brillant (voir p. 10). Mixer dès que possible pour parfaire l'émulsion. Fouetter la crème liquide comme pour une chantilly, puis l'incorporer au mélange au chocolat refroidi à environ 30 °C. Verser sans tarder dans des verrines, à environ un tiers de leur contenance, puis réserver au réfrigérateur.

LA VEILLE

CRÉMEUX INSPIRATION FRAISE. Faire tiédir l'eau dans une casserole. Mélanger dans un saladier la pectine, l'agar-agar et le sucre. Verser en pluie dans l'eau tiède tout en remuant au fouet. Ajouter ensuite la gélatine réhydratée (voir p. 11). Donner un bon bouillon et ajouter les fleurs d'hibiscus séchées. Couvrir et laisser infuser 4-5 min. Passer au chinois. Verser le mélange petit à petit sur l'Inspiration Fraise tout en mélangeant afin de créer un noyau élastique, lisse et brillant (voir p. 10). Mixer dès que possible pour parfaire l'émulsion. Recouvrir de film alimentaire au contact et réserver au réfrigérateur au moins 12 h.

LE JOUR MÊME

MONTAGE ET FINITION. Couper le biscuit Emmanuel en petits cubes d'environ 1 cm de côté, puis en disposer dans les verrines sorties du réfrigérateur. Garnir une poche à douille saint-honoré de crémeux Inspiration Fraise. Réaliser un cordon dans les verrines en effectuant des mouvements aléatoires. Couper les fraises en dés, puis en parsemer sur les verrines.

EFFET GOURMAND
Tempérez 200 g d'Inspiration Fraise Valrhona comme pour du chocolat blanc (voir p. 9) et procédez comme indiqué p. 19 pour former une feuille. Une fois durcie, cassez-la en gros éclats. Les déposer sur le dessus des verrines.

ONDE DE CHOC

POUR 6 À 8 TARTELETTES • À PRÉPARER LA VEILLE • PRÉPARATION : 2 H 30
CUISSON : 1 H • REPOS AU FRAIS : 3 H MINIMUM

Attention, ces tartelettes au chocolat sortent des sentiers battus !

GANACHE MONTÉE JIVARA 40 %
- Voir p. 17

PALETS DE CHOCOLAT
- 200 g de chocolat noir (voir p. 19)

PÂTE SUCRÉE AU CACAO
- Voir p. 13

**BISCUIT MOELLEUX
AU CHOCOLAT**
- Voir p. 12

GANACHE CRÉMEUSE
- 225 g de chocolat noir Manjari 64 %
- 200 g de lait entier
- 100 g de crème liquide
  à 35 % de MG
- 40 g de sucre en poudre
- 3 g de pectine X58

MATÉRIEL
- Emporte-pièce rond (Ø 6 cm)
- Moules à tartelettes (Ø 7-8 cm)
- Poche à douille lisse ou poche
  jetable coupée en biseau

LA VEILLE

GANACHE MONTÉE JIVARA 40 %. Procéder comme indiqué p. 17.

LE JOUR MÊME

PALETS DE CHOCOLAT. Procéder comme indiqué p. 19.

PÂTE SUCRÉE AU CACAO. Procéder comme indiqué p. 13. Foncer les moules à tartelettes.

BISCUIT MOELLEUX AU CHOCOLAT. Procéder comme indiqué p. 12 (en coulant le biscuit sur une plaque recouverte de papier de cuisson). Une fois le biscuit refroidi, découper 6 à 8 disques avec l'emporte-pièce.

GANACHE CRÉMEUSE. Mélanger le sucre et la pectine X58 dans un bol. Faire fondre le chocolat jusqu'à ce qu'il atteigne 35-40 °C (voir p. 9).

Faire tiédir le lait et la crème dans une casserole, et incorporer à l'aide d'un fouet le mélange sucre-pectine. Faire bouillir tout en remuant. Verser progressivement une partie du lait chaud sur le chocolat fondu tout en mélangeant à l'aide de la maryse afin de créer un noyau élastique, lisse et brillant (voir p. 10). Continuer à verser le liquide en veillant à conserver cette émulsion jusqu'à la fin. Mixer quelques secondes, filmer au contact, puis laisser refroidir (jusqu'à atteindre 30 °C).

MONTAGE. Verser un petit peu de ganache crémeuse sur les fonds de tartelette et coller les disques de biscuit en appuyant bien du bout des doigts. Garnir les tartelettes à ras bord du reste de ganache crémeuse et mettre au réfrigérateur 2-3 h.

AU MOMENT DE SERVIR

Fouetter doucement la ganache montée jusqu'à obtenir une texture de glace à l'italienne. Garnir une poche à douille et dresser sur les tartelettes des petites boules de ganache, puis disposer harmonieusement les palets de chocolat extrafins.

GRAND JEU

CRAQUELÉS
TENDRES CACAO

POUR UNE DOUZAINE DE CRAQUELÉS • À PRÉPARER LA VEILLE • PRÉPARATION : 1 H 30
CUISSON : 15-18 MIN • REPOS À TEMPÉRATURE : 4 À 6 H

- -

*Les craquelés de Saint-Émilion ou de Nancy sont moins sucrés que les macarons de Paris.
Ceux que je vous propose seront encore meilleurs après une ou deux nuits de maturation.*

POUR LA GANACHE

- 250 g de chocolat au lait Azélia 35 %
- 125 g de crème liquide
  à 35 % de MG
- 35 g de beurre

POUR LES RAISINS MARINÉS

- 250 g de vin muscat
- 100 g de raisins blonds
- 1/2 citron (jus)

POUR LE BISCUIT MACARON

- 225 g de poudre d'amande
- 600 g (450 g + 150 g) de sucre
  en poudre
- 65 g de Poudre de cacao Valrhona
- 10 g de farine T55
- 375 g de blancs d'œufs (12 blancs)
- 35 g de noisettes concassées
- Sucre glace

MATÉRIEL

- Papier de cuisson
  ou tapis en silicone
- Poche à douille lisse (Ø 8 mm)

LA VEILLE

GANACHE. Faire fondre le chocolat (voir p. 9).

Mettre la crème liquide dans une casserole et porter à ébullition. Verser progressivement la crème bouillante sur le chocolat fondu tout en mélangeant au centre de la préparation à l'aide d'une maryse pour créer un noyau élastique et brillant (voir p. 10). Mixer dès que possible pour parfaire l'émulsion. Dès que la ganache atteint 35 °C, ajouter le beurre coupé en dés et mixer à nouveau. Verser dans un plat, couvrir d'un film alimentaire au contact, puis laisser reposer 4 à 6 h à température ambiante.

RAISINS MARINÉS. Rassembler le muscat, les raisins et le jus de citron dans une casserole et porter à ébullition. Laisser tiédir hors du feu, puis réserver une nuit au réfrigérateur. Bien égoutter avant d'utiliser.

LE JOUR MÊME

BISCUIT MACARON. Préchauffer le four à 170 °C (th. 5-6).

Tamiser ensemble la poudre d'amande, 450 g de sucre, le cacao en poudre et la farine. Monter les blancs en neige au bec d'oiseau (voir p. 11) en ajoutant progressivement les 150 g de sucre restants. Verser les poudres dans les blancs en neige et mélanger délicatement.

Sur un tapis de cuisson en silicone ou une plaque recouverte de papier de cuisson, dresser à la poche des disques d'environ 5 cm de diamètre. Parsemer de noisettes concassées, saupoudrer deux fois de sucre glace, puis enfourner pour 15 à 18 min (les biscuits doivent être souples).

MONTAGE. Garnir les macarons de ganache à la poche à douille en insérant au centre quelques raisins marinés. Garnir de nouveau de ganache et fermer avec un second macaron. Appuyer légèrement.

LE **SÉVIGNÉ**

POUR 6 À 8 PERSONNES • PRÉPARATION : 1 H 30 • CUISSON : 45 MIN • REPOS AU FRAIS : 4 À 5 H MINIMUM

POUR LE BISCUIT À LA CUILLER
- Voir p. 13

POUR LE SIROP LÉGER
- 1/2 citron (jus)
- 30 g de miel de lavande
- 250 g d'eau

POUR LA CRÈME DE BASE
- 310 g de lait écrémé
- 185 g de crème liquide
  à 35 % de MG
- 50 g de jaunes d'œufs (3 jaunes)
- 55 g de sucre en poudre
- 3 g de gélatine en poudre
  (ou 1 feuille 1/2)
- 2 g de pectine X58

POUR LA CRÈME IVOIRE
- 90 g de chocolat blanc Ivoire 35 %
- 200 g de crème de base chaude

POUR LE NECTAR AU MIEL
- 25 g de miel de lavande
- 100 g de crème de base chaude

**POUR LA MACÉDOINE
D'ABRICOTS**
- 500 g d'oreillons d'abricots frais
- 1 cuil. à soupe de miel de lavande
- 1/2 citron (jus)

POUR L'ÉCUME DE LAVANDE
- 13 brins de lavande
- 200 g de crème de base chaude

MATÉRIEL
- Siphon à chantilly
- Emporte-pièce rond

LA VEILLE OU LE MATIN

BISCUIT À LA CUILLER. Procéder comme indiqué p. 13. Étaler une couche de 2 cm d'épaisseur sur une plaque recouverte de papier de cuisson. Saupoudrer de sucre glace deux fois à 5 min d'intervalle et enfourner pour 25 min.

SIROP LÉGER. Dissoudre le miel dans l'eau et ajouter le jus de citron.

CRÈME DE BASE. Dans une casserole, faire chauffer le lait avec la crème liquide. Mélanger le sucre et la pectine X58, puis verser en pluie sur le liquide à 45-50 °C tout en mixant. Porter à ébullition sans cesser de remuer. Ajouter les jaunes d'œufs en mixant, puis la gélatine réhydratée (voir p. 11). Passer au chinois.

CRÈME IVOIRE. Dans un saladier, émulsionner le chocolat blanc avec 200 g de crème de base chaude (voir p. 10). Mixer quelques secondes. Laisser prendre au réfrigérateur quelques minutes.

NECTAR AU MIEL. Délayer le miel dans 100 g de crème de base chaude.

MACÉDOINE D'ABRICOTS. Découper les oreillons d'abricots en petits cubes, ajouter le miel et le jus de citron. Bien mélanger et réserver au réfrigérateur.

ÉCUME DE LAVANDE. Infuser les fleurs de 5 brins de lavande dans 200 g de crème de base chaude pendant 4 à 5 min, puis passer au chinois. Mettre en siphon avec deux cartouches de gaz, puis laisser refroidir au moins 1 h.

MONTAGE. Découper dans le biscuit à la cuiller des disques d'un diamètre légèrement inférieur à celui des verrines. Les imbiber de sirop léger et les déposer au fond des verrines. Verser par-dessus la crème Ivoire et laisser prendre 10-15 min, puis ajouter le nectar au miel. Remettre au réfrigérateur pendant 45 min. Ajouter de la macédoine d'abricots et laisser reposer au réfrigérateur 4 h minimum (idéalement une nuit).

AU MOMENT DE SERVIR

Dresser généreusement l'écume de lavande au siphon et décorer avec un brin de lavande.

PETITES MARQUISES
NORVÉGIENNES

POUR 8 À 10 PERSONNES • À PRÉPARER 48 H À L'AVANCE • PRÉPARATION : 3 H
CUISSON : 20 MIN • REPOS : 24 H • CONGÉLATION : 6 À 8 H MINIMUM

- -

Qui dit marquise dit opulence, crémeux... et force chocolat. Qui dit norvégienne dit meringue, chaud et froid... Ce parfait glacé de praliné onctueux est à la croisée de toutes ces sensations !

POUR LE BISCUIT EMMANUEL
- Voir p. 12

POUR LE CRÉMEUX PRALINÉ
- 150 g de Praliné amandes noisettes fruité 50 % Valrhona
- 100 g de lait entier

POUR LE PARFAIT GLACÉ GUANAJA
- Voir p. 16

POUR LA MERINGUE SUISSE
- 150 g de blancs d'œufs (5 blancs)
- 225 g de sucre en poudre

MATÉRIEL
- Emporte-pièce (Ø 6 cm)
- Empreintes demi-sphères en silicone (Ø 7-8 cm)
- Poche à douille saint-honoré ou poche jetable coupée en biseau
- Chalumeau (facultatif)

L'AVANT-VEILLE

BISCUIT EMMANUEL. Procéder comme indiqué p. 12. Une fois la pâte refroidie, découper 6 à 8 disques avec l'emporte-pièce

LA VEILLE

CRÉMEUX PRALINÉ. Dans un saladier, verser le lait froid en trois ou quatre fois sur le praliné, en mélangeant à la maryse pour obtenir peu à peu une émulsion (voir p. 10). Mixer quelques secondes pour parfaire cette texture élastique et brillante. Réserver au réfrigérateur.

PARFAIT GLACÉ. Procéder comme indiqué p. 16.

Verser la moitié de la préparation dans les moules demi-sphères, répartir le crémeux praliné de façon aléatoire et garnir du reste de la préparation du parfait. Recouvrir avec les disques de biscuit et mettre à congeler 6 à 8 h (idéalement une nuit).

LE JOUR MÊME

MONTAGE. Démouler les demi-sphères en passant les moules sous l'eau chaude très brièvement. Les remettre au congélateur le temps de faire la meringue suisse.

MERINGUE SUISSE. Rassembler le sucre et les blancs dans une casserole et chauffer au bain-marie tout en fouettant. Dès que le doigt « pique » (55-60 °C), monter au batteur jusqu'à quasi-refroidissement. Dresser la meringue sur les demi-sphères de parfait glacé à la poche à douille saint-honoré ou à la poche jetable coupée en biseau. Remettre au congélateur pour 2 h.

FINITION. Brûler la meringue au chalumeau ou à four très chaud (230-240 °C - th. 7-8) quelques instants.

LE CERCLE **NOIR**

POUR 6 À 8 PERSONNES • PRÉPARATION : 2 H • CUISSON : 15 À 30 MIN • CONGÉLATION : 3-4 H

- -

POUR LA NOUGATINE AU GRUÉ DE CACAO

- 100 g de grué de cacao
- 50 g de beurre
- 75 g de sucre en poudre
- 25 g de sirop de glucose (ou de miel)
- 2 g de pectine jaune
  (ou 5 g de Maïzena)
- 20 g d'eau
- 7 ou 8 grains de poivre de Timut
  broyés fin

POUR LE BISCUIT MOELLEUX AU CHOCOLAT CARAÏBE 66 %

- Voir p. 12

POUR LA GANACHE MOUSSEUSE

- 200 g de chocolat noir
  Caraïbe 66 %
- 350 g (150 g bien froide + 200 g)
  de crème liquide à 35 % de MG
- 30 g de miel d'acacia

POUR LE GLAÇAGE CHOCOLAT CARAÏBE 66 %

- Voir p. 18.

MATÉRIEL

- Cercle en inox (Ø 20 cm, haut. 4 cm)
- Ruban PVC de 4 cm de large
- Grille ou volette

QUELQUES HEURES AVANT

NOUGATINE AU GRUÉ DE CACAO. Préchauffer le four à 180-190 °C (th. 6-7). Mélanger dans une casserole le sucre et la pectine jaune, puis le beurre, l'eau et le sirop de glucose, ainsi que le poivre de Timut. Faire cuire à feu doux, sans trop remuer, jusqu'à liaison. Laisser frémir quelques secondes.

Ajouter le grué de cacao. Étaler finement la pâte sur une plaque recouverte de papier de cuisson et enfourner pour environ 12 à 15 min. Une fois refroidie, briser la nougatine en gros éclats. En réserver quelques-uns pour le décor.

BISCUIT MOELLEUX AU CHOCOLAT. Procéder comme indiqué p. 12 et couler dans le cercle. Enfourner pour 9-10 min. Sortir du four et couvrir le biscuit d'éclats de nougatine au grué de cacao, puis remettre à cuire 3-4 min pour que la nougatine adhère bien au biscuit. Décercler à chaud et laisser refroidir.

MONTAGE. Chemiser le cercle du ruban PVC. Déposer sur une plaque recouverte de papier de cuisson et poser le disque de biscuit moelleux au centre (on doit avoir environ 5 mm de vide autour). Mettre au réfrigérateur le temps de faire la ganache mousseuse.

GANACHE MOUSSEUSE. Monter les 150 g de crème liquide bien froide pour obtenir une texture mousseuse. Réserver. Faire bouillir à feu doux 200 g de crème liquide dans une casserole. Verser aussitôt, en trois ou quatre fois, sur le chocolat dans un saladier et mélanger à la maryse jusqu'à obtenir un mélange élastique, lisse et brillant. Dès que la température atteint 35-40 °C, ajouter la crème liquide montée.

MONTAGE. Verser sur le biscuit la ganache mousseuse et réserver au congélateur au moins 3-4 h avant de pouvoir glacer.

AVANT LE REPAS

GLAÇAGE CHOCOLAT ET FINITION. Préparer le glaçage comme indiqué p. 18. Retirer le ruban PVC, poser le cercle sur une grille et napper aussitôt avec le glaçage chocolat. Retirer l'excédent à l'aide d'une spatule en inox et laisser prendre environ 30 secondes. Décorer avec des éclats de nougatine. Réserver au réfrigérateur.

COPABABANA

POUR 6 À 8 PERSONNES • PRÉPARATION : 2 H • CUISSON : 1 H • REPOS AU FRAIS : 4 H

Paysages luxuriants, ciel d'un bleu immaculé, plages féeriques et cocktails colorés sur des airs de samba... Voilà l'atmosphère à laquelle je vous invite avec ce baba façon Brésil !

POUR LA GANACHE PASSION

- 280 g d'Inspiration Passion Valrhona
- 250 g de crème liquide à 35 % de MG bien froide
- 80 g de jus de fruit de la passion
- 20 g de sirop de glucose

POUR LA PÂTE À BABA

- 210 g de farine T55 tamisée
- 18 g de levure de boulanger
- 65 g de lait entier
- 35 g de crème liquide à 35 % de MG
- 60 g de beurre
- 15 g de sucre en poudre
- 80 g d'œufs entiers (2 œufs)
- 3 pincées de sel
- 25 g d'eau

POUR LE SIROP CACHAÇA

- 200 g de cachaça (ou de rhum blanc)
- 300 g de sucre de canne
- 3 citrons verts non traités (zestes)
- 1 gousse de vanille
- 1 piment oiseau (facultatif)
- 800 g d'eau

...

LA VEILLE OU LE MATIN

GANACHE PASSION. Faire fondre l'Inspiration Passion, délicatement jusqu'à atteindre 45-50 °C maximum (voir p. 9). Ajouter le sirop de glucose et, en deux ou trois fois, le jus de fruit de la passion, jusqu'à obtenir une belle ganache, élastique et brillante. Mixer quelques secondes pour parfaire le brillant et, tout en mixant, ajouter la crème liquide froide. Conserver au réfrigérateur pendant au moins 2-3 h.

PÂTE À BABA. Dans une casserole, faire tiédir le lait avec la crème liquide à environ 30 °C. Y dissoudre la levure, le sel et le sucre. Verser ensuite le tout dans la cuve d'un robot muni de la feuille. Incorporer la farine tamisée et ajouter 1 œuf. Pétrir légèrement sans donner trop de corps et ajouter l'œuf restant, ainsi que l'eau, puis mélanger jusqu'à obtenir une pâte homogène.

Faire fondre le beurre à 40-45 °C. Le verser aussitôt sur la pâte et couvrir d'un linge. Laisser pousser à température ambiante pendant environ 30 min.

Préchauffer le four à 200 °C (th. 6-7).

Dans le bol d'un robot muni de la feuille (ou dans un cul-de-poule à la maryse), mélanger énergiquement la pâte (elle doit être parfaitement lisse). Garnir le moule à baba, couvrir d'un linge et laisser lever la pâte à température ambiante pendant 30 min. Cuire au four quelques minutes à 200 °C (th. 6-7), puis abaisser la température à 170-175 °C (th. 5-6). Poursuivre la cuisson pendant 12-14 min, jusqu'à obtenir un joli brun doré.

SIROP CACHAÇA. Fendre la gousse de vanille et gratter les grains avec le dos d'un couteau. Zester à l'économe les citrons, puis en extraire le jus.

Dans une casserole, porter à ébullition l'eau avec les zestes, la vanille, le piment et le sucre. Éteindre au premier bouillon. Laisser refroidir quelques minutes. Ajouter la cachaça (ou le rhum blanc), ainsi que le jus de citron vert. Réserver au réfrigérateur.

...

POUR LA SALADE DE FRUITS

- 300 g d'ananas
- 200 g de mangue
- 100 g de fruits de la passion
- 1 citron vert non traité (zeste et jus)
- 80 g de sucre de canne
- 15 g de Maïzena
- 200 g d'eau

MATÉRIEL

- Moule à baba (Ø 26 cm)
- Zesteur râpe à grille fine
- Poche jetable coupée en biseau

MONTAGE. Poser le baba dans un grand saladier et l'arroser de sirop juste chaud (45-50 °C). Le conserver dans son sirop au réfrigérateur pendant au moins 2 h.

SALADE DE FRUITS. Prélever le zeste du citron à l'aide du zesteur-râpe. Faire bouillir l'eau avec le zeste et le jus de citron vert, le sucre et la Maïzena jusqu'à ce que le mélange épaississe (environ 2 min). Laisser refroidir.

Pendant ce temps, bien laver tous les fruits. Retirer la pulpe des fruits de la passion, découper l'ananas en petits bâtonnets, et la mangue en cubes. Rassembler le tout avec le jus, puis réserver au réfrigérateur.

AVANT DE SERVIR

FINITION. Retirer le baba du sirop et le laisser égoutter.

Monter délicatement au fouet la ganache passion, jusqu'à obtenir une texture de glace à l'italienne.

Poser le baba dans un joli plat de présentation, garnir le milieu de rosaces de ganache montée passion, décorer de quelques morceaux de fruits et, pour terminer, garnir le tour du baba de salade de fruits.

L'EMPEREUR

POUR 6 À 8 PERSONNES • À PRÉPARER 48 H À L'AVANCE • PRÉPARATION : 2 H 30
CUISSON : 1 H • REPOS AU FRAIS : 24 H

- -

C'est en pensant au généreux décor du célébrissime entremets Président de la maison Bernachon de Lyon que j'ai imaginé cet « Empereur ». Une forme d'opéra, en moins riche et pourtant très café et chocolat. Avec des textures qui équilibrent ces goûts puissants.

POUR LE BISCUIT EMMANUEL

- 40 g de noix concassées
- 40 g de miel
- 60 g de beurre
- 20 g de lait entier
- 75 g d'œufs entiers (2 œufs)
- 35 g de sucre glace
- 75 g de farine T45
- 3 g de levure chimique
- 1 pincée de fleur de sel

POUR LE SIROP D'IMBIBAGE

- 100 g d'eau
- 25 g de sucre en poudre
- 5 g de café soluble

POUR LA GANACHE CARAÏBE AU CAFÉ

- 200 g de chocolat noir Caraïbe 66 %
- 400 g (100 g bien froide + 300 g) de crème liquide à 35 % de MG
- 20 g de café soluble

POUR LES COPEAUX DE CHOCOLAT AU CAFÉ

- 300 g de chocolat Dulcey 32 %
- 3 g de café soluble
- 30 g d'huile de noisette (ou neutre)

...

L'AVANT-VEILLE

BISCUIT EMMANUEL. Faire fondre le beurre dans une casserole.

Tamiser ensemble la farine, le sucre glace, le sel et la levure chimique dans un saladier.

Mélanger dans le bol d'un robot muni de la feuille (ou dans un cul-de-poule au fouet) les œufs avec le miel. Puis ajouter les poudres tamisées, le lait et le beurre fondu chaud à 45-48 °C (cette température est importante).

Réserver au réfrigérateur environ 12 h.

LA VEILLE

Préchauffer le four à 210-220 °C (th. 7-8).

Étaler la pâte régulièrement sur un tapis de cuisson en silicone ou une plaque (34 x 18 cm) recouverte de papier de cuisson sur 5 mm d'épaisseur, puis parsemer les noix concassées sur la moitié du biscuit. Enfourner pour 6-8 min.

SIROP D'IMBIBAGE. Verser l'eau et le sucre dans une casserole et porter à ébullition. Ajouter le café soluble. Mélanger.

GANACHE CARAÏBE AU CAFÉ. Monter 100 g de crème liquide bien froide pour obtenir une texture mousseuse. Réserver à température ambiante.

Faire fondre le chocolat (voir p. 9). Porter à ébullition 300 g de crème liquide et y dissoudre le café soluble. Verser progressivement le mélange chaud sur le chocolat fondu tout en mélangeant énergiquement afin de créer un noyau élastique, lisse et brillant (voir p. 10). Mixer dès que possible pour parfaire l'émulsion. Réserver.

...

- **Tapis de cuisson en silicone ou papier de cuisson**
- **Girolle à fromage**
- **Cadre en inox carré 16 × 16 cm**
- **Pinceau alimentaire**

EFFET GOURMAND
Pour donner une touche mexicaine à votre entremets, ajoutez un zeste d'orange dans le sirop au café et faites-y infuser deux ou trois graines de cardamome... Osez oser !

MONTAGE. À l'aide du cadre en inox, découper deux carrés de biscuit Emmanuel (biscuit aux noix et biscuit nature). Placer au fond du cadre le biscuit aux noix.

Prélever 250 g de la ganache Caraïbe au café et la couler sur le biscuit aux noix, puis poser par-dessus (bien à plat) le biscuit nature.

Ajouter au restant de ganache la crème liquide montée à l'aide d'une maryse.

À l'aide d'un pinceau, imbiber généreusement le biscuit nature de sirop au café. Verser par-dessus la ganache mousseuse au café et lisser.

Réserver au réfrigérateur une nuit.

COPEAUX DE CHOCOLAT AU CAFÉ. Faire fondre le chocolat jusqu'à ce qu'il atteigne 45-50 °C maximum (voir p. 9). Ajouter l'huile, puis procéder à un tempérage (voir p. 9). Incorporer le café soluble et verser dans un pot rond vide (type pot de fromage blanc).

Laisser prendre ce galet de chocolat au réfrigérateur 30 min puis réserver à température ambiante.

LE JOUR MÊME

FINITION. Démouler le galet de chocolat au café et réaliser des copeaux avec la girolle à fromage.

Avant de servir, décercler l'entremets à l'aide d'un couteau chauffé au chalumeau ou à l'eau bouillante. Découper une tranche fine sur chaque côté pour obtenir une coupe très propre. Couvrir l'entremets de copeaux de chocolat au café.

BÛCHE ROULÉE
AUX ÉCLATS NOIRS

POUR 12 PERSONNES • À PRÉPARER 36 H À L'AVANCE • PRÉPARATION : 2 H 30
CUISSON : 20 MIN • REPOS AU FRAIS : 12 H + 12 H

- -

Comment imaginer un Noël sans bûche ? Voici de quoi en mettre plein les yeux à vos convives. Intemporelles, les bûches roulées sont un doux équilibre entre le biscuit et les textures si généreuses des crèmes. Un plaisir bien organisé, de tendresse, de douceur et de crémeux.

GANACHE MONTÉE CARAÏBE
- 125 g de chocolat noir Caraïbe 66 %
- 455 g (150 g + 305 g) de crème liquide à 35 % de MG
- 30 g de sirop de glucose (ou de miel)

GANACHE CARAÏBE
- 95 g de chocolat noir Caraïbe 66 %
- 115 g de crème liquide à 35 % de MG
- 20 g de sirop de glucose (ou de miel)

BISCUIT VIENNOIS CACAO
- 40 g de Poudre de cacao Valrhona
- 160 g d'œufs entiers (3 œufs)
- 60 g de jaunes d'œufs (3 jaunes)
- 100 g de blancs d'œufs (3 blancs)
- 165 g (125 g + 40 g) de sucre en poudre
- 40 g de farine T55

...

LA VEILLE AU MATIN
- - - - - - - - - - - - - - - - - -

GANACHE MONTÉE CARAÏBE. Faire fondre le chocolat (voir p. 9).

Dans une casserole, chauffer 150 g de crème liquide et le sirop de glucose (ou le miel) jusqu'à frémissement.

Verser progressivement le mélange chaud sur le chocolat fondu tout en mélangeant afin d'obtenir un noyau élastique, lisse et brillant (voir p. 10). Mixer dès que possible pour parfaire l'émulsion. Ajouter 305 g de crème liquide et mixer à nouveau.

Réserver au réfrigérateur au moins 6 h avant de monter au fouet.

LA VEILLE APRÈS-MIDI
- - - - - - - - - - - - - - - - - -

GANACHE CARAÏBE. Faire fondre le chocolat (voir p. 9).

Dans une casserole, faire chauffer la crème et le sirop glucose (ou le miel) jusqu'à frémissement.

Verser progressivement le mélange chaud sur le chocolat fondu tout en mélangeant afin d'obtenir un noyau élastique, lisse et brillant (voir p. 10). Mixer dès que possible pour parfaire l'émulsion. Réserver à température ambiante durant 4-6 h.

BISCUIT VIENNOIS CACAO. Préchauffer le four à 210 °C (th. 7).

Mélanger au batteur les jaunes, les œufs entiers et 125 g de sucre dans un saladier.

...

SIROP D'IMBIBAGE
- **120 g d'eau**
- **25 g de sucre en poudre**
- **1/3 de gousse de vanille**
- **20 g de rhum ambré (facultatif)**

ÉCLATS NOIRS
- **200 g de chocolat noir Caraïbe 66 %**

MATÉRIEL
- **Gouttière à bûche (facultatif)**
- **Pinceau alimentaire**

ENTRE NOUS

En déposant les éclats de chocolat au dernier moment, vous vous assurez d'un résultat parfait (sans gouttelettes d'eau qui peuvent se déposer durant un séjour au réfrigérateur). L'effet diamant est superbe !

Monter les blancs en neige au bec d'oiseau (voir p. 11) en incorporant progressivement 40 g de sucre. Incorporer au mélange œufs-sucre à l'aide d'une maryse.

Tamiser ensemble la farine et la poudre de cacao, puis les incorporer délicatement au mélange.

Verser la pâte sur une plaque, recouverte de papier de cuisson (env. 40 x 30 cm), puis l'étaler régulièrement sur 1 cm d'épaisseur.

Enfourner pour 6-7 min.

SIROP D'IMBIBAGE. Fendre la gousse de vanille et en gratter les grains avec le dos d'un couteau. Verser l'eau, le sucre et les grains de vanille dans une casserole et porter à ébullition. Laisser infuser à couvert hors du feu. Une fois refroidi, ajouter le rhum.

LA VEILLE AU SOIR

MONTAGE. À l'aide d'un pinceau, imbiber le biscuit viennois cacao de sirop. Étaler uniformément la ganache Caraïbe sur le biscuit imbibé. Par-dessus, étaler uniformément 450 g de ganache Caraïbe montée. Réserver le reste.

Rouler ensuite la bûche en prenant soin de bien la serrer (si possible, la déposer dans une gouttière à bûche pour préserver au mieux la forme cylindrique). Réserver au réfrigérateur au moins 6 h.

LE JOUR MÊME

ÉCLATS NOIRS. Procéder comme indiqué p. 19 pour réaliser une feuille de chocolat. Une fois durcie, la casser en gros éclats.

FINITION. Fouetter le reste de la ganache montée Caraïbe et l'appliquer en fine couche sur la totalité de la bûche. Couper les extrémités de la bûche pour avoir des bords nets. Parsemer d'éclats de chocolat.

RELIGIEUSE ANTONINE
AUX DEUX CHOCOLATS

POUR 6 À 8 PERSONNES • PRÉPARATION : 3 H 30 • CUISSON : 1 H 30 • REPOS AU FRAIS : 2-3 H

Le pâtissier Marie-Antoine Carême, dit Antonin (1784-1833), devint chef de cuisine
et inventa la toque. Il était célèbre à Paris pour ses pièces montées.
Dans mon manuel d'apprentissage, le *Traité de pâtisserie moderne* de Darenne et Duval,
les pièces montées m'ont toujours fait rêver ! Justesse et patience,
tels sont les deux ingrédients indispensables de cette recette.

POUR LA CRÈME PÂTISSIÈRE

- 80 g de chocolat noir
  Équatoriale Noir 55 %
- 80 g de chocolat au lait
  Équatoriale Lait 35 %
- 500 g de lait entier
- 90 g d'œufs entiers (2 gros œufs)
- 70 g de sucre en poudre
- 35 g de Maïzena

POUR LA GANACHE NOIRE
À DRESSER

- Voir p. 14

POUR LA PÂTE SABLÉE
AUX AMANDES

- Voir recette p. 13

POUR LA PÂTE À CHOUX

- Voir p. 14

...

LE MATIN

CRÈME PÂTISSIÈRE. Dans un cul-de-poule, mélanger les œufs avec le sucre et la Maïzena. Réserver.

Faire chauffer le lait dans une casserole. Verser le lait chaud sur le mélange œufs-sucre-Maïzena tout en fouettant. Retransvaser le tout dans la casserole et faire bouillir à feu moyen sans cesser de remuer, jusqu'à ce que la crème devienne lisse, très onctueuse et brillante et qu'elle épaississe (compter 5-6 min de cuisson).

Hors du feu, séparer la crème à quantités égales (environ 300 g) dans deux petits saladiers, ajouter les chocolats et mixer quelques secondes jusqu'à obtenir un mélange homogène. Couvrir de film alimentaire au contact et réserver au réfrigérateur pendant 2 h à 3 h minimum.

GANACHE NOIRE À DRESSER. Procéder comme indiqué p. 14.

PÂTE SABLÉE AUX AMANDES. Procéder comme indiqué p. 13.

Préchauffer le four à 150-160 °C (th. 5-6). Étaler la pâte, puis découper 3 disques de 13 cm, 7 cm et 6 cm de diamètre. (Conserver l'excédent de pâte au congélateur pour un prochain dessert !) Cuire au four jusqu'à obtenir une couleur ambrée.

L'APRÈS-MIDI

PÂTE À CHOUX. Procéder comme indiqué p. 14. Dresser dix éclairs pointus de 14 cm de long à l'aide de la douille lisse. Dresser le reste de la pâte en petits choux. Poursuivre la recette comme indiqué p. 14.

...

POUR LE NAPPAGE CHOCOLAT NOIR
- 150 g de chocolat noir Équatoriale Noir 55 %
- 150 g de sirop d'agave
- 15 g d'eau

POUR LE NAPPAGE CHOCOLAT AU LAIT
- 150 g de chocolat au lait Équatoriale Lait 35 %
- 90 g de sirop d'agave
- 15 g d'eau

POUR LE CARAMEL CLAIR
- 150 g de sucre en poudre

MATÉRIEL
- Poches à douille
- Douille lisse n° 8
- Douille cannelée moyenne
- Tube de carton (type rouleau de papier absorbant)
- Emporte-pièces ronds de 13, 7 et 6 cm

EFFETS GOURMANDS

Vous pouvez embellir votre dessert en y collant des dragées, des perles de chocolat noir ou des flocons d'or.
Aromatisez aisément votre crème pâtissière avec du Grand Marnier, du rhum ambré ou de l'eau de fleur d'oranger. Mélanger l'arôme choisi à la crème refroidie.

NAPPAGE CHOCOLAT NOIR. Faire fondre le chocolat bien chaud (à 50-55 °C ; voir p. 9), puis ajouter en remuant énergiquement, et en trois fois, le sirop d'agave, puis l'eau. Mixer quelques secondes pour obtenir une texture ultra-brillante et bien élastique. Utiliser à 30-35 °C maximum.

NAPPAGE CHOCOLAT AU LAIT. Procéder exactement de la même façon que pour le nappage chocolat noir.

CARAMEL CLAIR. Mettre le sucre dans une casserole à feu doux et à sec. Laisser fondre progressivement et devenir blond. Remuer si besoin, mais le moins possible, avec une spatule en bois. Maintenir à feu très doux, le temps du montage de la religieuse.

MONTAGE. À l'aide d'une poche munie de la douille lisse n° 8, garnir les éclairs et les choux de crème pâtissière en perçant la face du dessous (pour les éclairs, percer aux deux extrémités). En garnir la moitié de crème pâtissière au chocolat au lait, et l'autre moitié de crème pâtissière au chocolat noir. Égaliser si besoin la longueur des éclairs.

En glacer la moitié avec le nappage noir, et l'autre avec le nappage au lait. Laisser sécher le glaçage 30 min.

Sur le grand disque de pâte sablée aux amandes (Ø 13 cm), poser debout et au centre un tube de carton couvert de papier d'aluminium.

Tremper la base d'un premier éclair dans le caramel clair, coller sur le sablé, et laisser reposer le haut sur le tube de carton. Poursuivre en alternant la couleur des éclairs de façon à former un cône. Une fois le caramel figé, ôter le tube en carton.

Verser un trait de caramel en couronne sur le disque de sablé de 7 cm et retourner aussitôt sur le haut du cône formé par les éclairs. Ce sablé doit être bien plat. Verser à nouveau un trait de caramel sur ce sablé, puis coller harmonieusement les petits choux. Recommencer avec le sablé de 6 cm pour former le dernier étage.

FINITION. Une fois la ganache cristallisée, en garnir la poche à douille cannelée et dresser des coquilles de ganache entre les éclairs.

REMERCIEMENTS

À **José-Manuel Augusto**, mon compagnon de route, qui m'accompagne au quotidien dans l'exploration et le rayonnement de la création chez Valrhona.

À **Tom Georges**, qui a beaucoup participé à la mise en œuvre des recettes de cet ouvrage.

À **Vadim Lefèvre**, notre jeune pâtissier gourmet élevé au Valrhona, qui a pris un très grand plaisir, avant vous, à tester et à déguster les recettes de ce livre.

À **Claire Bénistrand**, pour sa confiance. Je lui dois l'idée de cet ouvrage qui rend accessible mes recettes préférées, réalisées avec les chocolats iconiques de Valrhona.

À **Emma Petitjean**, pour sa relecture affutée et son sens du détail, qui vous permettront de réaliser le plus justement de belles pâtisseries maison.

À **Diane Lefrançois**, pour sa rigueur et son agilité dans la coordination. Elle a assumé avec brio son rôle de chef d'orchestre de ce projet.

À **Laure Paoli**, avec qui j'ai le plaisir de collaborer depuis plus de vingt ans et avec qui il est tellement agréable de créer des ouvrages, des histoires…

À **Véronique Galland**, toi qui par chance ne me laisses rien passer, et qui scrutes le moindre détail, pour être le plus juste dans les mots.

À **la maison Jars**, pour ses très belles collections de céramiques en grès émaillé faites à la main avec passion. Elles ont sublimé les recettes de ce livre.

Et enfin merci à **Julie Schwob** et à **Guillaume Czerw**, pour leur mise en lumière singulière de mes créations.

OÙ TROUVER LES PRODUITS VALRHONA ?

Retrouvez la gamme de produits à pâtisser Valrhona dans les grands magasins, les enseignes spécialisées dans l'univers de la pâtisserie, les épiceries fines et sur les sites de vente en ligne.

Également à la boutique Valrhona de Tain-l'Hermitage (26) et sur le site : boutique.citeduchocolat.com

Pour vivre une expérience gourmande à la Cité du Chocolat à Tain-l'Hermitage et participer aux ateliers et stages de pâtisserie, rendez-vous sur le site de la Cité du Chocolat Valrhona : www.citeduchocolat.com

INDEX DES RECETTES

Ouvrage publié sous la direction de Laure Paoli

Réalisation éditoriale : Véronique Galland
Relecture et correction : Alice Breuil, Catherine Jardin
Conception graphique et mise en pages : Claire Morel Fatio
Fond bois : W. Phokin/Shutterstock.com
Photographies : Guillaume Czerw
Stylisme : Julie Schwob

Éditions Albin Michel
22, rue Huyghens, 75014 Paris
www.albin-michel.fr

ISBN : 978-2-226-44888-0
N° d'édition : 23880/01 – N° d'impression : 92765
Dépôt légal : mars 2020
Imprimé en France par Pollina.